渡辺雄二

壊す10大食品添加物

GS
幻冬舎新書
296

体を壊す10大食品添加物／目次

図版　美創

プロローグ

がんの原因になる食品添加物

添加物漬けの毎日

もはや「飽食」という言葉が死語になるくらい、飽食はあたりまえになってしまいました。コンビニやスーパー、ドラッグストア、駅売店、自動販売機などには食品があふれかえっており、それらの商品を宣伝するCMが毎日のように流れています。その「洪水」に誰もが呑《の》み込まれています。

とくに日々の仕事に追われるビジネスマンは、「洪水」にドップリ浸かっている感があります。なかでも一人暮らしの人は、その典型でしょう。朝コンビニでおにぎりやサンドイッチ、あるいはスナックバーなどを買って食べ、お昼は会社近くの食堂かコンビニ弁当、夜は帰り道にある食堂か居酒屋、あるいはまたまたコンビニ弁当。こうした人も少なくないと思います。

「こんな生活をしていて大丈夫なのか？」と不安を感じつつも、スーパーで材料を買って家で料理を作るというのは大変なので、そんな食生活を続けてしまっている人も多いでしょう。そうした人にとって一番気がかりなのが、食品添加物の影響ではないかと思います。

コンビニやスーパーのお弁当やおにぎり、パスタ、焼きそば、サンドイッチなどにはたっぷり添加物が使われています。なかには30種類もの添加物が使われたお弁当もあります。また、家で晩酌をしようと買ったおつまみにも、毒性の強い添加物が使われていることがあります。

このほか、食事代わりのスナックバー、小腹が空《す》いた時に食べるお菓子や菓子パン、さらには回転寿司や居酒屋の料理にまで添加物が使われています。

まさしく毎日添加物漬けの生活を強《し》いられているのです。

しかし、「添加物を気にしていたら何も食べられない」と感じている人も多いと思いますが、実際そうなのです。コンビニで売られている商品のほとんどに添加物が使われています。スーパーの商品もしかり、駅売店も同様。添加物が使われていない商品を探すのは、至難《しなん》の業《わざ》なのです。

2人に1人ががんになるという現実

でも、そんな添加物漬けの生活を続けていてよいのでしょうか？

今や3人に1人ががんで死亡し、2人に1人ががんになっている時代です。しかも、30代から50代の働き盛りにがんになる人が多く、その年代の死亡原因のトップは、実はがんなのです。つまり、事故死やその他の病気よりも多いのです。

がんが多いことは、芸能界を見ていても分かると思います。毎日のように歌手や俳優、芸人などががんで死亡した、あるいはがんになったというニュースが流れています。しかも、若い人や中年の人が多いのです。

私がとくにショックを受けたのは、元キャンディーズのスーちゃん（田中好子さん）の死でした。東日本大震災ののちに、被災地の人々を気遣いながら、55歳という若さで乳がんで亡くなりました。しかも、30代ですでにがんを発病していたといいます。

どうしてこれほど若くしてがんになるのでしょうか？

がんの原因は、**放射線**、**ウイルス**、**化学物質**であることが分かっています。**それらが細胞の遺伝子を突然変異させ、その結果として正常細胞ががん化してしまう**のです。そして、がん細胞が増殖してがんとなるのです。

なかでも化学物質の影響が大きいと考えられます。なぜなら、今の私たちは化学物質まみれの生活を送っているからです。

添加物のほかにも、残留農薬、合成洗剤、抗菌剤、殺虫剤、香料、揮発性有機化合物（VOC）、トリハロメタン（水道水中の有機物と消毒用塩素が反応してできる）、ダイオキシン、排ガスなどなど。まさしく私たちは化学物質が充満したなかで生活し、毎日それらを体内に取り込んでいるのです。それらが、体の臓器や組織、そして細胞の遺伝子に悪影響をもたらしているとしても、何ら不思議ではないのです。

なかでも、とくに食品添加物の影響が大きいと考えられます。添加物はほとんどの食品に混じっており、毎日口から確実に入ってくるからです。

そして、その量も残留農薬や合成洗剤などほかの化学物質に比べて、けた違いに多いのです。したがって、それらをできるだけとらないようにすべきなのです。

添加物は体のなかで危険な「異物」となる

ところが、前にも書いたように、ほとんどの食品に添加物が使われていて、それを避けるというのは不可能な状況です。そこで、まずは「最も危険な添加物を避けよう！」という発想が生まれます。それこそが、本書で取り上げた「10大食品添加物」なのです。

添加物には、石油製品などから化学合成された添加物、すなわち合成添加物と、自然界の植物や海藻、昆虫、細菌、鉱物などから特定の成分を抽出《ちゅうしゅつ》して作られた天然添加物とがあります。これらで危険性が高いのは、合成添加物のほうです。それはその由来や化学構造、そして動物実験の結果からも間違いないことです。

ただし、一口に合成添加物といってもいろいろあります。ビタミンCやEのように、もともと食品に含まれている成分を真似て化学的に合成し、添加物として使っているもの。これらは、昔から食品とともに摂取している成分ですから、安全性にそれほど問題はありません。こうした添加物はたくさんあります。果物などに含まれるクエン酸やリンゴ酸、乳酸、ビタミンAやB_2など、あるいは果実や海藻などに含まれる甘味成分のソルビトールなど。

一方、こうしたものとは違う種類の合成添加物があります。それは、自然界にまったく存在しない化学合成物質です。つまり、人間が人工的に作り出したものです。

これらは、自然界に存在しないがゆえに、人間の体内で消化・分解されないものが多いのです。そのため、そのまま腸から吸収され、血管内に入って「異物」となり、体をグルグルめぐります。その悪影響が懸念されるのです。

とくに肝臓《かんぞう》や腎臓《じんぞう》などの臓器にダメージを与えたり、免疫やホルモンなどのシステムに異常を起こさせたり、さらに細胞の遺伝子に突然変異を起こさせたりする可能性があります。

これらの添加物のなかには、動物実験で発がん性が明らかになったり、その疑いの強いものが少なくありません。たとえば、輸入のレモンやグレープフルーツなどに使われている防カビ剤のOPP（オルトフェニルフェノール）とOPP－Na（オルトフェニルフェノールナトリウム）。これらは、ラット（実験用白ネズミ）を使った実験で発がん性のあることが確認されています。また、合成着色料の赤色2号は、アメリカの動物実験で発がん性の疑いが強いということが分かり、同国では使用が禁止されています。

しかし、日本では今でも使われているのです。

これらの添加物を毎日とり続けた場合、がんになる確率は当然高まると考えられます。このほかにも、発がんを促すような添加物がたくさんあります。したがって、それらを極力摂取しないようにする必要があるのです。

10大食品添加物を避ければ、がんになるリスクが低くなる！

また、その添加物自体に発がん性は認められていなくても、製品中や体内で発がん性物質に変化するものもあります。このほか、肝臓にダメージを与えたり、免疫力を低下させる可能性のあるものもあります。

さらに、ひじょうに毒性が強いため、胃や腸の粘膜を刺激するものもあります。アレルギーや化学物質過敏症を引き起こす、あるいは先天性障害や不妊と関係している可能性のあるものもあります。

これらの添加物は、健康を維持するうえで、極力避けるべきものです。

それこそが、本書でいう「体を壊す10大食品添加物」なのです。

現在、使用が認められている合成添加物は、431品目あります（2013年2月時点）。これらをすべて避けるのは無理でも、ここで示した10大添加物を避けるのは十分可能です。これらを避けるだけでも、添加物による発がんをかなり防ぐことができると考えられます。

また、肝臓や腎臓の機能低下、免疫の異常、アレルギーなども防げると考えられます。

「がんが心配だ」「どうも体の調子がよくない」という人は、本書をお読みになって、10大添加物を避けるようにしてください。そうすれば、そうした問題がある程度解決されると思います。

実は今使用が認められている添加物は、人間で安全性が確認されたものではありません。ネズミなどの動物実験によって毒性が調べられ、「人間にも使って大丈夫だろう」という推定のもとで使われているにすぎないのです。つまり、私たちの体で試されている、すなわち人体実験が行なわれているような状況なのです。

こうした状況のなかでは、添加物の由来や性質、化学構造、あるいは動物実験の結果などから、人体に悪影響をおよぼすと考えられるものは、できるだけ避けるようにすることが賢明です。その最たるものが10大添加物なのです。

第1章 体を壊す10大食品添加物

第1節　発がん性物質に変化する発色剤・亜硝酸Na

明太子が胃がんの発生率を高める

忙しいビジネスマンにとっては、コンビニやスーパーのおにぎりはありがたい食べ物だと思います。

いつでも手軽に食べられ、野菜ジュースなどを飲みながら食べれば、栄養的に見ても一食分になります。

コンビニおにぎりには、「鮭」「梅」「こんぶ」「シーチキンマヨ」など多くの種類がありますが、とくに人気があるのが「明太子」でしょう。白いご飯と明太子のからみと塩気が口のなかに広がり、何ともいえない味わいがあります。

人気が高いため、各コンビニ店には必ず明太子おにぎりがずらっと並んでいて、主力製品になっています。朝食や昼食に「毎日食べている」という人もいると思います。

しかし、そんな人は、胃がんになる確率が高まってしまう可能性があるのです。というのも、具の明太子には色が黒ずむのを防ぐ目的で、発色剤の亜硝酸Na（ナトリウム）が添加されていて、それが明太子の成分と反応して、発がん性のある物質に変化することがあるからです。

したがって、それを毎日食べ続ければ、がんになる可能性が高まると考えられるのです。実はこれを裏づけるデータがあるのです。明太子やたらこなどの塩蔵魚卵《えんぞう》を頻繁に食べている人ほど、胃がんになる確率が高まるという疫学調査です。

国立がん研究センターの津金昌一郎予防研究部部長らは、40〜59歳の男性約２万人について、約10年間追跡調査を行ないました。

その結果、食塩摂取量の多い男性ほど胃がんの発生リスクが高いことが分かり、とくにたらこや明太子などの塩蔵魚卵を頻繁に食べている人は２倍以上高かったのです。

ちなみに、国立がん研究センターといえば、これまで喫煙と肺がんとの関係を明らかにするなど、疫学調査の分野ではとても実績のある研究機関です。

この調査では、塩蔵魚卵を「ほとんど食べない」「週１〜２日」「週３〜４日」「ほとんど毎日」に分類しました。そして、それぞれのグループの胃がん発生率を調べたのです。

その結果、「ほとんど食べない」人の胃がん発生率を１とすると、「週１〜２日」が１・５８倍、「週３〜４日」が２・１８倍、そして「ほとんど毎日」は２・４４倍にも達していたのです。つまり、塩蔵魚卵をたくさん食べている人ほど発生率が高くなるという、比例関係になっていたのです。

したがって、塩蔵魚卵が胃がんの発生率を高めているということはほぼ間違いないということなのです。

塩分濃度の高い食品と添加物を同時にとるな

どうしてこんな結果になったのでしょうか?

その理由について、津金部長は「塩分濃度の高い食品は粘液《ねんえき》を溶かしてしまい、胃粘膜が強力な酸である胃液によるダメージをもろに受けます。その結果、胃の炎症が進み、ダメージを受けた胃の細胞は分裂しながら再生します。そこに、食べ物などと一緒に入ってきた発がん物質が作用して、がん化しやすい環境を作るのではないかと推測されています」（津金昌一郎著『がんになる人　ならない人』講談社刊）と述べています。

つまり、食塩を多くとることで胃の粘膜が荒れてしまいます。しかし、粘膜は再生されますから、これでがんが発生するわけではありません。ところが、再生する際、すなわち胃粘膜の細胞が分裂する際に、何らかの発がん性物質が作用することによって、がんができやすくなるということなのです。

では、その「発がん物質」とは何でしょうか？

そこで注目されるのが、明太子に発色剤として使われている亜硝酸Naなのです。なぜなら、それがニトロソアミン類という強い発がん性物質に変化するからです。

明太子の原料となるたらこには、筋肉色素のミオグロビンなどの赤い色素が含まれています。ところが時間がたつと、それは酸化して黒ずんでいきます。すると、明太子が「まずそう」に見えてしまいます。

そこで、亜硝酸Naが添加されるのです。亜硝酸Naはミオグロビンと反応して、ニトロソミオグロビンになります。これは鮮やかなピンク色なので、きれいな明太子であり続けるわけです。

しかし、亜硝酸Naは反応性が高いため、明太子の原料である、たらこに含まれるアミンという物質とも反応してしまいます。アミンは窒素を含む物質で、植物や動物の体内に含まれ、とくに魚卵、魚肉、食肉に多く含まれています。

ちなみに、アドレナリンやノルアドレナリンなどのホルモン、アレルギー物質として知られるヒスタミンなどは、アミンの一種です。

発色剤は発がん性物質になりうる

アミンには、化学構造によって第1級アミン、第2級アミン、第3級アミンがあります。これらのうちの第2級アミンと亜硝酸Naが反応すると、ニトロソアミン類という化学物質に変化するのですが、これには強い発がん性があるのです。

ニトロソアミン類は10種類以上知られていて、いずれも動物実験で発がん性が認められています。とくに代表的なN－ニトロソジメチルアミンの発がん性はひじょうに強く、わずか0・0001～0・0005％をえさや飲料水に混ぜてラットに与えた実験では、肝臓や腎臓にがんが認められています。

厚生労働省もこのことは十分承知していて、たらこに添加できる亜硝酸Naの量を厳しく制限しています。しかし、明太子中にニトロソアミン類ができるのを完全に防ぐことはできません。

また、ニトロソアミン類は酸性の条件下でできやすいので、胃酸が分泌される胃のなかでできやすくなります。実際に亜硝酸塩（亜硝酸Naは亜硝酸塩の一種）と第2級アミンを同時に動物に投与した実験では、胃においてニトロソアミン類が生成して、がんが発生することが確認されているのです。

明太子おにぎりは、多くのコンビニやスーパー、弁当店で売られていますが、具の明太子にはいずれも亜硝酸Naが使われています。したがって、それらを毎日食べていると、胃がんになる確率はどうしても高まってしまうことになると考えられます。

「明太子おにぎりが大好き」という人にとってはつらい話だとは思いますが、事実は事実として目を向けなければならないのです。

以上のことは、たらこのおにぎりについても同様です。たらこにも黒ずみを防ぐ目的で亜硝酸Naが使われているからです。いずれにしろ、原材料に「発色剤（亜硝酸Na）」という文字があったら、要注意ということです。

発色剤を使っていないおにぎりもある

こうした事実があるためか、亜硝酸Naが添加されていない明太子やたらこを使っているコンビニがあります。最大手のセブン－イレブンです。

一度お店でそれらの製品のラベルを見てください。原材料名の欄に、「亜硝酸Na」の文字はありません。「本当なの？」と疑念を抱く人もいると思いますが、製造メーカーに確認したところ、「亜硝酸Naは使っていない」とはっきり答えていました。

もし使っているのに表示していない場合、食品衛生法違反で摘発される恐れがあります。そして、それが報道されれば、セブン－イレブンの信用は地に落ち、売り上げは一挙に落ちることになるでしょう。そんな危険を冒すとは考えにくいので、おそらく本当に使っていないのだと思います。

では、どうやって黒ずみを防いでいるのでしょうか？

実は、天然着色料のカロチノイド色素とベニコウジ色素を使うことで、赤く見せているのです。カロチノイド色素は、植物に含まれる橙《だいだい》色の色素で、トウガラシ色素、トマト色素、ニンジンカロチンなどがあります。その由来から、ほとんど問題はありません。

一方、ベニコウジ色素は、ベニコウジカビの菌体より抽出された赤色の色素です。それを5％含むえさをラットに13週間食べさせた実験で、腎臓の一部に壊死《えし》が認められました。かなり大量に投与した実験ですので、添加物として少量使われた場合どのような影響が現れるのかは分かりません。ただし、亜硝酸Naを使うよりはずっとマシです。

これは、セブン－イレブンが消費者の健康を考えた商品作りをしていることの一つの表れといっていいでしょう。

もし亜硝酸Naを添加した明太子やたらこをおにぎりに使えば、それを食べ続けた人が胃がんになる確率が高まることが予想されます。それは、前の津金部長らの疫学データから、かなりの確度でいえることです。

消費者あってのコンビニであり、消費者を大切にするという観点からすれば、それが分かっていて何も改善しないというのは、良識ある経営者なら、なかなかできないことでしょう。そこで、おにぎりには亜硝酸Naを添加していない明太子やたらこを使うという方針を決めたと思われます。

なお、コンビニのおにぎりが食べたい、あるいは食べざるを得ないという人には、「鮭（紅鮭）」「梅」「こんぶ」などをお勧めします。どこのコンビニでも、これらには亜硝酸Naは使われておらず、その他の添加物も比較的少ないからです。

明太子パスタにも亜硝酸Naが入っている

「明太子のパスタはどうなの？」と思っている人もいるかもしれませんね。各コンビニには、明太子パスタが売られていて、これも主力商品になっています。塩辛い明太子が絡まったパスタも、ご飯と同様にとてもおいしいですからね。

しかし残念ながら、これらの明太子にも、亜硝酸Naは添加されています。したがって、同様な問題があります。

ただし、やはりセブン－イレブンの明太子パスタには、亜硝酸Naは使われていません。

また、明太子がのった焼きうどんも売られていますが、それにも亜硝酸Naが添加されています。とにかく明太子やたらこを使ったおにぎり、パスタ、焼きうどんなどで「発色剤（亜硝酸Na）」と表示されていたら、要注意です。

ちなみに、スーパーでパックに入れて売られている明太子やたらこにも、たいてい亜硝酸Naが添加されていますので、注意してください。

「いくらおにぎりはどうなの？」と思っている人もいるかもしれませんね。いくらもたらこと同様に魚卵の一種であり、鮮やかな色を保つために亜硝酸Naが添加されることが多いからです。スーパーで売られているパック入りのいくらの場合、裏のラベルを見ると、たいてい「発色剤（亜硝酸Na）」の文字があります。

ただし、最近では、亜硝酸Naを添加していない製品も売られています。それほど鮮やかな色をしていないので、よく見ると分かります。パック入りのすじこも売られていますが、これには今でもたいてい亜硝酸Naが使われているので、注意してください。

一方、コンビニのいくらおにぎりには、亜硝酸Naはほとんど使われていません。セブンーイレブンやローソン、ファミリーマートなどのいくらの入ったおにぎりの原材料を見てみてください。「発色剤（亜硝酸Na）」の文字はありません。これらのいくらは、いずれもしょうゆ漬けになっているため、鮮やかな色を保つ必要がないのです。そのため、亜硝酸Naが添加されていないのです。

実は以前のいくらおにぎりには、亜硝酸Naが使われていました。しかし、いくらにもたらこと同様にアミンがたくさん含まれています。それだけニトロソアミン類ができやすいのです。そこで、安全性の点も考慮して、各コンビニでは亜硝酸Naの使用をやめたと思われます。

ハム入りサンドイッチは買うな

ビジネスマンにとって、コンビニおにぎりと同様にありがたい製品が、サンドイッチでしょう。手軽に買うことができて、それ一つで朝やお昼の一食分になります。また、小腹が空いた時にお菓子代わりにもなります。野菜ジュースや牛乳などと一緒に食べれば、夕食にもなります。とくに女性の場合、夕食として食べている人も少なくないでしょう。

ところが、サンドイッチにも明太子おにぎりと同様な問題があるのです。

サンドイッチにはいろいろ種類がありますが、多くの製品にハムが使われています。ハムサンドやハムカツサンドにはもちろんのこと、ミックスサンドなどにも使われています。

このハムに、亜硝酸Naが使われているのです。

ハムの主原料は豚肉ですが、筋肉色素のミオグロビンと血色素のヘモグロビンという赤い色素が含まれていて、肉独特の赤みがかった色合いを出しています。

しかし、これらは酸化しやすく、そうなると黒ずんだ色になってしまいます。そこで、亜硝酸Naを添加して、黒ずみを防いでいるのです。

亜硝酸Naは、ミオグロビンやヘモグロビンと化学反応を起こして、ニトロソミオグロビンやニトロソヘモグロビンに変化します。これらはとても鮮やかなピンク色をしているのです。しかも安定していて、長期間色が変わりません。ですからスーパーやコンビニに陳列されているハムは、いつまでたってもきれいな色をしているのです。

ところが、豚肉にもアミンが多く含まれているので、それと亜硝酸Naが反応して、ニトロソアミン類ができてしまうのです。これまでの検査では、食肉製品からしばしばニトロソアミン類が検出されているといいます（泉邦彦著『発がん物質事典』合同出版刊）。

したがって、サンドイッチに使われているハムにも、ニトロソアミン類が含まれている可能性があるのです。

また、前述のようにニトロソアミン類は酸性条件下で生成しやすいので、胃のなかででできている可能性もあります。したがって、ハムが挟まれたサンドイッチはできるだけ食べないほうがよいのです。

パンが食べたい時は何を買えばいいか

パンにウインナーソーセージを挟んだホットドッグも同様な問題があります。ウインナーの主原料も豚肉であり、ハムと同様に亜硝酸Naが使われています。したがって、ニトロソアミン類ができる可能性があるのです。

ホットドッグに使われるウインナーソーセージには、細いものや太いものなどいろいろ種類がありますが、ほとんどに亜硝酸Naが使われています。

その場合、製品の袋の原材料名欄に、「発色剤（亜硝酸Na）」という文字がありますので、買わないほうが無難です。

ニトロソアミン類は、ひじょうに強い発がん性を持っていて、実際に人間にがんを引き起こすようです。こんな逸話があります。ドイツのある大学の教授が、妻を殺す計画を立てました。その手口は、妻にがんを発生させ、がん死に見せかけるというものでした。これなら、彼が手を下したことは分かりません。

妻はジャムが好きでした。そこで、彼はジャムのなかに密《ひそ》かにニトロソアミン類を入れたのです。そうとは知らずに妻はジャムを食べ続けました。そして、とうとう肝臓がんになり、死んでしまったのです。

この完全犯罪は成功するかに見えました。しかし、不審に思った警察が、台所に隠されていたジャムを見つけ、ニトロソアミン類が入っていることを発見しました。そこで、大学教授は「御用」となったのです。化学を専攻する彼は、ニトロソアミン類に関する知識を持っていて、こうした犯罪を考えついたのでしょう（向井登著『ガン体質の人でも心配無用』東洋経済新報社刊）。

なお、コンビニのパンを食べたい、あるいは食べざるを得ないという場合は、あんぱんをお勧めします。これには亜硝酸Naは使われていませんし、添加物が少ないほうだからです。

幕の内弁当に潜む危険

コンビニやスーパーのおにぎりやサンドイッチと並んで、ビジネスマンにとってなじみがあるのが、お弁当です。朝、通勤途中に買って会社で食べる人もいるでしょうし、お昼に買って食べる人もいるでしょう。また、仕事が終わってから帰宅途中で買って、家で食べる人もいるでしょう。

コンビニやスーパーの弁当には多くの種類がありますが、代表的なのは幕の内弁当とのり弁当です。どちらもどこのコンビニでもたいてい売られています。ただし、食べないほうがよいものがあります。というのは、亜硝酸Naが添加されたウインナーソーセージが入っているからです。

あるコンビニの幕の内弁当にはハンバーグやコロッケ、焼鮭、海老天、厚焼玉子などとともにウインナーソーセージが入っています。それに亜硝酸Naが添加されているのです。容器の裏に貼られたラベルの原材料名欄には、「発色剤（亜硝酸Na）」の文字が。もしこの製品を買って食べるのなら、ウインナーはもったいないですが、捨てましょう。

一方、ローソンの「おすすめ幕の内」、サンクスの「幕の内弁当」、デイリーヤマザキの「おかず幕の内弁当」には、亜硝酸Naの文字はありません。ウインナーなどが使われていないからです。「幕の内弁当が食べたい」という人は、そうした製品を選んだほうがよいでしょう。

なお、コンビニ弁当の場合、20種類以上の添加物が使われている製品が珍しくありません。とくに幕の内弁当やのり弁当などは具材がたくさん使われているため、添加物も多くなっています。

そのため、人によっては、それらを食べると、胃がもたれる、張るような感じになる、重苦しくなる、痛みを感じる、気持ちが悪くなるなどの胃部不快感に陥ることがあります。胃がデリケートな人は、注意してください。

揚げ物には要注意!

コンビニ弁当の場合、もう一つ注意しなければならないことがあります。幕の内弁当やのり弁当などには、どの製品にも天ぷらやコロッケなどの揚げ物が入っていますが、それらには有害な過酸化脂質が多かれ少なかれ含まれているという点です。

過酸化脂質とは、油(脂肪)が酸化されることによってできるものです。これは有害で、動物に与えた実験では、成長を阻害し、投与量が多くなると、その動物はなんと死んでしまうのです。

「油焼け」という言葉を聞いたことがあると思います。古くなった魚の干物やポテトチップスなどを食べると、お腹が痛くなったり、下痢《げり》をすることがあります。これは、油が酸化して、つまり油焼けを起こして、有害な過酸化脂質ができてしまったからなのです。

この過酸化脂質が、コンビニ弁当の揚げ物には含まれているのです。

家庭で揚げ物を作る際には、できるだけ新しい油を使うと思います。「古い油は危険」という認識が一般に広まっているからです。ところが、毎日大量に天ぷらやコロッケなどを揚げているコンビニ弁当の工場では、揚げるたびに油を取り換えるというのは、コスト的にも物理的にも不可能です。そのため、何回も使用することになりますが、油は高温になるほど過酸化脂質ができやすくなり、どうしてもそれが避けられません。これは油の宿命なのです。

したがって、コンビニ弁当の揚げ物には、どうしても過酸化脂質が含まれてしまうことになるのです。

そのため、胃腸がデリケートな人の場合、胃がもたれたり、痛くなったり、あるいは下痢をすることがあるのです。

とくに油でジトーッとした感じの揚げ物は要注意です。

亜硝酸Naは市販のハムにも使われている

ところで、コンビニやスーパーなどには、ハムメーカーのハム、ウインナーソーセージ、ベーコン、サラミなどが売られていますが、これらの製品にも、通常亜硝酸Naが添加されています。したがって、これまで述べてきたことと同じ問題があるのです。

なお、これらの製品の原材料名欄には、「酸化防止剤（ビタミンC）」の文字もあります。これは抗酸化作用のあるビタミンCによって、肉が酸化して変質するのを防いでいるということです。

ただし、それは表向きの理由であって、本当はニトロソアミン類ができるのを防ぐためでもあるのです。ビタミンCには、ニトロソアミン類の発生を抑制する働きがあるからです。それでも完全に抑制することはできないので、どうしてもニトロソアミン類ができてしまうのです。

そもそも亜硝酸Naを食品に添加すること自体に問題があります。なぜなら、ひじょうに毒性が強いからです。過去の中毒例をもとに計算されたヒト致死量は、0・18～2・5gです。値に幅がありますが、最小の「0・18g」は、猛毒として知られる青酸カリ（シアン化カリウム）の致死量0・15gと、それほど変わらないことになります。

したがって、食品に一定量を超えて含まれると中毒を起こしますから、厚生労働省では、添加できる量を厳しく制限しています。そのため、市販のハムやベーコン、ウインナーソーセージを食べたからといって具合が悪くなるということはないわけです（そんなことになったら大変ですが……）。それにしても、そんな毒性の強いものを食品に混ぜることを許していいものなのか、疑問を感じざるを得ません。

亜硝酸Naを使っていない市販のハムもある

こうした状況のなかで、少ないながらも、亜硝酸Naを添加していない製品があります。信州ハム（長野県上田市）のグリーンマークシリーズのハムやウインナー、ベーコンです。

私はスーパーで、これらの製品を時々買ってきて食べています。色はやや茶色っぽいですが、ハム本来の味のする「おいしい」ハムだと思います。ただし、「加熱調理することをおすすめします」と表示されているので、ボイルするか炒めるかして食べています。万が一、ボツリヌス菌が混入していた場合、食中毒を起こす可能性があるので、それを防ぐためです。

実は亜硝酸Naには、食中毒を予防する働きがあるのです。とくに最も怖いボツリヌス中毒の予防に効果があります。

ボツリヌス中毒は、19世紀のヨーロッパでハムやソーセージを食べた人の間で発生しました。そして、日本でも時たま発生しています。日本で最初にボツリヌス中毒が報告されたのは、1951年のことです。北海道の岩内町でニシンの「いずし」を食べた14人が発病し、4人が死亡しました。

この中毒を起こすボツリヌス菌の作り出す毒素は、人間の中枢神経に作用し、その機能を麻痺《まひ》させます。その結果、視力障害、散瞳《さんどう》（瞳孔《どうこう》が開くこと）、運動障害、急性胃腸炎、粘膜出血、小脳・脊髄《せきずい》の出血、腎臓炎などを起こし、重症になると死亡するのです。亜硝酸Naは強い殺菌力があるため、ボツリヌス菌の増殖を抑えることができます。そのため欧米では、主に食中毒を防ぐ目的で添加されています。

亜硝酸Naが殺菌力を持つのは、細菌を破壊する力があるからです。つまり、細胞を破壊するということです。

しかし、これは両刃の剣なのです。つまり、細菌ばかりでなく、人間や動物の細胞も破壊してしまうということです。そして、その量が多いと、死にいたることもあり、実際に亡くなった人もいるのです。

安全でうまいウインナーはある！

信州ハムの製品以外にも、亜硝酸Naが使われていないハムやウインナー、ベーコンがあります。

イオンのトップバリュグリーンアイシリーズの製品です。このシリーズは安全性に配慮した原材料を使っていて、パッケージには「抗生物質を使用せずに飼育した豚の肉を使用しました」とあります。そして、亜硝酸Naも使っていないのです。

ただし、これらの製品には加熱して食べることを勧める表示はありません。つまり、加熱しなくても、ボツリヌス中毒を防げるという自信があるようです。

もともと日本では、ハムによるボツリヌス中毒の発生は少ないので、衛生管理を徹底すれば亜硝酸Naを添加しなくても大丈夫ということを、これらの製品が証明しているといえます。

このほか、大手ハムメーカーの製品でも、亜硝酸Naが使われていないものがあります。日本ハムの「無塩せきウインナー　アンティエ」シリーズです。亜硝酸Naは使われておらず、豚肉をかさ上げするための植物たんぱくや卵たんぱくも使われていません。

実は市販のハムやウインナーなどには、豚肉のほかに大豆や卵などから作られたたんぱくが原料として使われているのです。大手ハムメーカーの工場では、それらが大きい注射器のような機械で豚肉に注入されているといいます。つまり、かさ上げを図って製造コストを安くしているのです。

しかし、そうした製品は、豚肉本来のうま味が失われてしまいます。ところが、「アンティエ」にはそれらのたんぱくが使われていないため、豚肉本来のうま味のあるおいしいウインナーに仕上がっています。値段はやや高めですが……。

第2節　発がん性物質を含むカラメル色素

カラメル色素に含まれる発がん性物質とは

カラメル色素は、ソース、清涼飲料や炭酸飲料などの飲み物、洋酒、菓子類、ラーメン、スープ、しょうゆなどの多くの食品に褐色をつけるために使われています。

ところが、カラメル色素の種類によっては、発がん性物質が含まれているのです。それは、４－メチルイミダゾールという化学物質です。

カラメル色素には、カラメルⅠ、Ⅱ、Ⅲ、Ⅳの4種類があります。それらは次のようなものです。

・カラメルⅠ……デンプン分解物、糖蜜、または炭水化物を熱処理して得られたもの、あるいは酸もしくはアルカリを加えて熱処理して得られたもの。
・カラメルⅡ……デンプン分解物、糖蜜、または炭水化物に、亜硫酸化合物を加えて、またはこれに酸もしくはアルカリを加えて、熱処理して得られたもの。
・カラメルⅢ……デンプン分解物、糖蜜、または炭水化物に、アンモニウム化合物を加えて、またはこれに酸もしくはアルカリを加えて、熱処理して得られたもの。
・カラメルⅣ……デンプン分解物、糖蜜、または炭水化物に、亜硫酸化合物およびアンモニウム化合物を加えて、またはこれに酸もしくはアルカリを加えて、熱処理して得られたもの。

これらのうちⅢとⅣには、アンモニウム化合物が原料として含まれており、それが変化して副産物として4－メチルイミダゾールができてしまいます。それについて、アメリカ政府の国家毒性プログラムによるマウス（ハツカネズミ）を使った実験で、発がん性が確認されたのです。

もともとカラメルⅢについては発がん性が疑われていました。というのも、カラメルⅢを４％含む飲料水をラットに１０４週間与えたところ、脳下垂体腫瘍《しゅよう》の発生頻度が明らかに高くなったという実験データがあったからです。その危険性が、改めて確認されたということなのです。

そのため、今アメリカでは、カラメル色素の安全性がひじょうに関心を集めています。

なぜ、がんを起こすのか

４－メチルイミダゾールはなぜ、がんを起こすのでしょうか？

それは、その化学構造が人間の遺伝子（ＤＮＡ）の塩基に似ているためと考えられます。遺伝子は４つの塩基によって、構成されています。シトシン、チミン、アデニン、グアニンです。

これらの塩基に異常が起こると、細胞は突然変異を起こし、がん化することが分かっています。

カビ毒の一種にアフラトキシンB_1というものがあります。ひじょうに発がん性の強いカビ毒です。これは、DNAの塩基に化学構造がよく似ています。そのため、DNAの塩基のなかに入り込んで、DNAの構造を変えてしまい、その結果として細胞が突然変異を起こして、がん化すると考えられています。4－メチルイミダゾールも、同様に作用すると考えられます。

4－メチルイミダゾールの化学構造は、とくに塩基のシトシンとチミンに似ています。そのため、それらの構造を変えてしまい、その結果として細胞のがん化が起こるのではないかと考えられます。

カラメル色素が使われている食品はとても多い

カラメル色素は天然着色料のなかで最もよく使われている添加物です。

たとえば、第1節で取り上げたコンビニなどのお弁当ですが、調べてみたところ、大半にカラメル色素が使われていました。原材料となるソースやしょうゆ、たれなどにもともと添加されていたり、調理の際に色合いをよくするために使われていると考えられます。

また、コンビニで売られているパスタや焼きそばにもよくカラメル色素が使われています。コンビニのお弁当やパスタ、焼きそばなどを毎日食べるということは、カラメル色素を毎日摂取することといっても過言ではないくらいです。

このほか、コンビニやスーパー、駅売店などで売られている飲料にも、カラメル色素が使われています。

さらに、カップめん、インスタントラーメン、生ラーメン、蒸し焼きそば、カレールゥ、レトルトカレー、即席お吸い物、わかめスープ、のり佃煮、ソース、プリンなど、ひじょうに多くの食品にカラメル色素が使われています。それらの製品の原材料を一つひとつ見ていくと、「カラメル色素」、あるいは「着色料（カラメル）」という文字がとても多いことに気づくと思います。

つまり、私たちはそれらの食品を食べることによって、知らず知らずにカラメル色素を摂取していることになるのです。

カラメル色素がすべて悪いとはいえない

ただし、厄介なのは「カラメル色素」という表示しかされていないことです。そのため、カラメルⅠ、Ⅱ、Ⅲ、Ⅳのどれが使われているか分からないのです。

カラメルⅠとⅡについては、これまでの動物実験などでは、それほど毒性が認められていません。したがって、添加物として微量使われている分には、それほど問題がないと考えられます。「カラメル色素」と表示された製品にはⅠやⅡが使われていることもあります。なので、それらの製品をすべて危険ということもできないのです。

しかし、カラメルⅢかⅣが使われている可能性ももちろんあります。

ですから、ⅢとⅣが使われているかもしれないと思って、「カラメル色素」または「着色料（カラメル）」と表示された製品はできるだけ買わないようにしたほうが無難でしょう。

第3節　発がん性や肝臓にダメージを与える心配のある合成甘味料3品目

カロリーオフ飲料に入っている合成甘味料は危険

多くのカロリーオフ飲料には、合成甘味料のアスパルテーム、スクラロース、アセスルファムK（カリウム）が使われています。

これらの合成甘味料の最大の特徴は、カロリーが少ない、あるいはゼロということです。

そのため、ダイエットをしている女性、肥満や糖尿病を気にしている男性などをターゲットに販売されています。「糖分やカロリーが少ないので、体にいいと思って飲んでいる」という人も多いと思います。

しかし、アスパルテームは脳腫瘍との関係が取りざたされており、さらに白血病を引き起こす可能性があるとの指摘もあります。

また、スクラロースとアセスルファムKは自然界にまったく存在しない化学合成物質であり、体内に入ると、分解されずに異物となって体中をグルグルめぐります。

そして、肝臓や腎臓などにダメージを与えたり、免疫を低下させる可能性があるのです。

ちなみに、これらは分解されずにまったく代謝されないために、エネルギーとはならず、ゼロカロリーなのです。

ガムやあめ、チョコに入っているアスパルテームが脳腫瘍を起こす？

アスパルテームは清涼飲料のほか、ガムやあめ、ゼリー、チョコレート、清涼菓子、ダイエット甘味料など多くの食品や飲料に使われていますが、その安全性をめぐってはアメリカや日本で論争がずっと続いているのです。

アスパルテームは、アミノ酸のＬ－フェニルアラニンとアスパラギン酸、それに劇物のメチルアルコールを結合させたもので、砂糖の180〜220倍の甘味を持っています。

1965年にアメリカのサール社が開発したもので、アメリカやカナダ、フランスなどで使用が認められていました。日本では、味の素（株）が早くから輸出用として製造していました。そして、アメリカ政府の強い要望によって、日本でも1983年に使用が認可されたのです。これで、アメリカで製造されたアスパルテーム入りの食品が日本にも輸入できるようになりました。

アメリカでアスパルテームの使用が認可されたのは、1981年のことです。しかし、摂取した人たちから、頭痛やめまい、不眠、視力・味覚障害などに陥ったという苦情が相次いだといいます。

アスパルテームは体内でメチルアルコールを分離することが分かっています。メチルアルコールは劇物で、誤って飲むと失明する恐れがあり、摂取量が多いと死亡することもあります。おそらく体内で分離されたメチルアルコールが、さまざまな症状を引き起こしたと考えられます。

さらにアスパルテームは、がんとの関係が取りざたされています。

TBSテレビが1997年3月に放送した、アメリカのCBSレポート「How sweet

is it?」のなかで、がん予防研究センターのデボラ・デイビス博士は、「環境と脳腫瘍の関係を調べると、アスパルテームは脳腫瘍を引き起こす要因の可能性がある」と指摘しました。

また、ワシントン大学医学部のジョー・オルニー博士は、「20年以上前のアスパルテームの動物実験で認められたものと同じタイプの脳腫瘍が、アメリカ人に劇的に増えている」と警告しました。

白血病やリンパ腫を起こすというデータもあり

さらに２００５年にイタリアで行なわれた動物実験では、アスパルテームによって白血病やリンパ腫の発生が認められたといいます。この実験は、同国のセレーサ・マルトーニがん研究所のモランド・ソフリティ博士らが行なったもので、８歳齢のオスとメスのラットに、異なる濃度（0〜10％の７段階）のアスパルテームを死亡するまで与え続けて、観察するというものでした。

その結果、メスの多くに白血病、またはリンパ腫の発生が見られ、濃度が高いほど発生率も高かったのです。

また、人間が食品から摂取している量に近い濃度でも、異常が観察されました。

この実験結果から、アスパルテームが白血病やリンパ腫などを引き起こす可能性があることが分かったのです。

なお、アスパルテームには必ず「L－フェニルアラニン化合物」という言葉が添えられていますが、これには理由があります。フェニルケトン尿症（アミノ酸の一種のL－フェニルアラニンをうまく代謝できない体質）の子どもがとると、脳に障害が起こる可能性があります。そのため、注意喚起の意味でこの言葉が必ず併記されているのです。

現在、アスパルテームは前述のように、数多くの食品に使われています。砂糖に比べてカロリーが少なく、ダイエット甘味料として使われているからです。しかし、以上のような危険性を示す研究やデータがあるので、できるだけとらないようにしたほうが賢明です。

パンや菓子にも乱用されるスクラロースとアセスルファムK

アスパルテーム以外にも、清涼飲料に盛んに使われている合成甘味料があります。スクラロースとアセスルファムKです。

これらは、ゼロカロリーや低カロリーをウリにしたパンや菓子類にも使われています。

スクラロースもアセスルファムＫも、体内で代謝されません。つまり、消化・分解されることがないのです。

そのため腸からは吸収されますが、そのまま血液とともにグルグルめぐり、腎臓に達します。ですから、まったくエネルギーになることがなく、ゼロカロリーなのです。砂糖などの糖分を嫌う人が増えているため、こうした合成甘味料がやたらと使われているのです。

しかし、本来糖分が体に悪いということではないのです。むしろ糖分はエネルギー源としてとても重要なのです。とりわけ、ブドウ糖は脳の唯一のエネルギー源であり、ブドウ糖がなかったら、人間は生きていくことができません。必要な栄養素だからこそ、それを口にした時「甘い」と感じ、「おいしい」とも感じるのです。

ところが、最近では砂糖やブドウ糖などの糖分が、まるで悪者のように扱われ、低カロリーやゼロカロリーの食品がもてはやされています。

しかし、糖分をとりすぎることが体にとってよくないだけなのです。けっして糖分そのものが悪いわけではありません。したがって、糖分をとりすぎないように自己コントロールすればよいのです。

にもかかわらず、現実には糖分を排除しようという傾向が、業界でも消費者の間でも強まっています。そして、舌の味覚細胞だけを刺激してエネルギーとはならない、スクラロースやアセスルファムKが乱用されているのです。

有機塩素化合物はどれも危険

スクラロースは、ショ糖（スクロース）の3つの水酸基（－OH）を塩素（Cl）に置き換えたものです。農薬の開発中に偶然発見されたといわれています。日本では、1999年に添加物として認可されました。砂糖の約600倍の甘味があるとされます。

しかし、その化学構造から分かるように、悪名高い「有機塩素化合物」の一種なのです。有機塩素化合物は、炭素を含む物質に塩素が結合したもので、人工的に作られたものがほとんどです。しかも、毒性の強いものがひじょうに多いのです。

農薬のDDTやBHC、地下水汚染を起こしているトリクロロエチレンやテトラクロロエチレン、カネミ油症事件を引き起こしたPCB（ポリ塩化ビフェニル）、猛毒のダイオキシンなどなど、有機塩素化合物はすべて毒性物質といっても過言ではありません。

ちなみに、カネミ油症事件とは、1968年に西日本を中心に発生した食品公害のことです。

カネミ倉庫という会社が製造していたカネミライスオイルを食べた人々が、顔や背中ににきび状の吹き出物ができたり、歯が抜けたり、激しい下痢を起こしたり、全身の疲労感などに襲われて、死亡した人もいました。

その原因は、カネミライスオイルに誤って混入していたＰＣＢという化学合成物質だったのです。ＰＣＢには、微量のダイオキシン類が含まれていたことも分かっています。

もちろん同じ有機塩素化合物でも、それぞれ毒性は違いますから、スクラロースが、ＰＣＢやダイオキシンなどと同様な毒性を持っているというわけではありません。もしも持っていたら、大変なことです。

しかし、スクラロースはまぎれもなく有機塩素化合物の一種であり、動物実験でも気になる結果が出ているのです。

スクラロースを５％含むえさをラットに４週間食べさせた実験で、脾臓《ひぞう》と胸腺（リンパ球を成長させる器官）のリンパ組織に萎縮《いしゅく》が認められたのです。これは、免疫に悪影響がおよぶ可能性があるということです。

また、妊娠したウサギに体重１kgあたり０・７ｇのスクラロースを強制的に食べさせた実験では、下痢を起こして、それにともなう体重減少が見られ、死亡や流産も一部で見られたのです。

さらに、動物実験では、脳にまでスクラロースが入り込むことが分かっています。おそらく人間の場合も、同様なことがいえるのでしょう。

したがって、脳に影響を与えないのか心配されるのです。

異物となって肝臓や腎臓にダメージを与える

ところが、当時の厚生省はこうしたデータを軽視し、食品添加物として使用を認可してしまったのです。これには、ある事情があります。実はスクラロースはアメリカで使用が認められていて、さまざまな食品に使われていました。肥満大国アメリカでは、カロリーの過剰摂取によって、肥満や糖尿病、心臓病などの人が増えていて、社会問題になっています。そこで、砂糖の代わりにゼロカロリーのスクラロースが盛んに使われるようになっていたのです。そのため、アメリカからスクラロースが添加された食品が、日本に輸出されるケースが増えることが予想されました。

その際、日本でスクラロースの使用が認可されていないと、それらの食品を輸入することができません。すると、非関税障壁ということで、アメリカ側から抗議を受けることになります。場合によっては、日米間の政治問題に発展する可能性もあります。そこで、そうしたトラブルの発生を未然に防ぐために、スクラロースを認可したのです。

スクラロースは分解されにくいため、ひじょうに安定していて、日本の業者にとっても使いやすいという面があります。また、日本でも肥満や糖尿病などが問題になっていますので、企業としては、「ゼロカロリー」とうたうことで、消費者にアピールしやすいというメリットがあり、その使用を望んでいたのです。それらの事情から、１９９９年に使用が認められたのです。

しかし、私は有機塩素化合物の一種であるスクラロースが添加された食品や飲料は、怖くて口にする気になれません。しかも、変な甘さなのです。何度か口に入れたことはありますが（あとで吐《は》き出しましたが）、甘いというより、むしろ苦いという感じで、砂糖のような心地よい甘さとは違うのです。

なかには、スクラロース入りの食品を食べると、体の調子が悪くなるという人もいます。私の知人にもいます。スクラロース入りのヨーグルトを食べたら、吐いてしまったという話を聞いたこともあります。

スクラロースは、体内で分解されることなく、腸から吸収されて肝臓を通過し、異物となって体中をグルグルめぐり、腎臓に達します。おそらく長期間飲み続けた場合、肝臓や腎臓に何らかのダメージを与えるのではないかと考えられます。また、動物実験の結果から、脾臓や胸腺のリンパ組織を萎縮させ、免疫力を低下させる可能性があります。したがって、できるだけ摂取しないほうが賢明なのです。

動物実験で肝臓に悪いのは明白

もう一つのゼロカロリー甘味料であるアセスルファムKは、砂糖の約200倍の甘味があるとされます。スクラロースに続いて、2000年に使用が認可されました。

しかし、アセスルファムKも、動物実験で気になるデータがあるのです。イヌに、アセスルファムKを0・3%、もしくは3%含むえさを2年間食べさせた実験で、0・3%群ではリンパ球の減少が、そして3%群では肝臓障害の際に増えるGPTが増加し、さらにリンパ球の減少が認められたのです。つまり、肝臓にダメージを与え、また免疫力を低下させる可能性があるということです。

このほか、妊娠したラットにアセスルファムKを投与した実験では、胎児への移行が認められています。ですから、妊娠した女性が摂取した場合に、胎児に対して影響が出ないのか、心配されるのです。

ところが、スクラロースと同様にこれらのデータは軽視され、使用が認められてしまいました。事情はスクラロースと同じです。アセスルファムKもアメリカなどの諸外国で使用が認められているため、貿易の際に非関税障壁とならないように、旧・厚生省は早く認可したかったのです。もちろん日本の業者もそれを望んでいました。

アセスルファムKはスクラロースと同様に、多くの清涼飲料や菓子類などに使われています。しかし、これも体内で消化・分解されることなく吸収され、肝臓を通過して血液とともに全身をグルグルめぐり、腎臓に達します。

アセスルファムKが添加された飲料や食品を毎日食べた場合、前のイヌの実験からも分かるように、肝機能に障害が現れる可能性があります。また、体の防衛軍である免疫にも悪影響がおよぶ可能性があります。

ですから、できるだけ摂取しないほうが賢明なのです。

乳幼児を死亡させた「粉ミルク・メラミン混入事件」

そもそも自然界に存在しない化学合成物質で、しかも腸から吸収されて異物となって体内をグルグルめぐるようなものは、添加物として認めるべきではないのです。なぜなら、体内汚染を引き起こし、臓器や組織にダメージを与える可能性があるからです。こうした化学合成物質の一つにメラミンがあります。メラミンは、プラスチックの一種であるメラミン樹脂の原料となっているものです。

このメラミンが、中国で人体汚染を引き起こし、その結果、乳幼児が死亡するという事件が起こりました。２００８年に発生した「粉ミルク・メラミン混入事件」です。

この事件は、粉ミルクや牛乳にメラミンが故意に入れられて、それを飲んだ乳幼児のうち、約30万人もが腎臓結石などの健康被害を受け、少なくとも6人が死亡したというものです。もちろん中国でもメラミンを食品に混ぜることは認められていません。

「どうしてメラミンが粉ミルクや牛乳に？」と不思議に思う人もいるかもしれませんが、メラミンは窒素を含んでいるため、これを混入させると、たんぱく質を多く含むと見せることができたからです。というのも、たんぱく質も窒素を含んでいるため、機械で測定すると、メラミンが含まれていた場合、たんぱく質が多いという結果が出てしまうのです。まったくひどい話なのですが、現実にこうしたことが行なわれていたのです。

このメラミンとスクラロース、およびアセスルファムKは、化学的に共通点が多くあります。

一つ目は自然界にまったく存在しない人工的な化学合成物質であること。２つ目がドーナツ状の化学構造をしており、消化酵素によって分解されないこと。３つ目が分子量が小さいため腸からそのまま吸収され、肝臓を通過して体内をグルグルめぐって腎臓に達することです。

こうしたことからメラミンの場合は、乳幼児に対して腎臓結石などの障害を引き起こし、死亡するケースもあったのです。

スクラロースとアセスルファムＫについては、旧・厚生省が「安全性に問題はない」と判断して、使用を認可したため、合法的に多くの食品に使われています。

しかし、その安全性は人間で確認されたものではないのです。すべてネズミなどの動物を使って調べられただけです。

しかも前述のように、安全性を疑わせる実験結果もあるのです。

したがって、人間が摂取し続けた場合、どうなるのかは本当のところは分かっていません。こうした化学合成物質は、できるだけとらないようにしたほうが賢明です。

なお、これらの合成甘味料を使っていない清涼飲料もたくさんあります。

たとえば、「ポカリスエット」（大塚製薬）、「カルピスウォーター」（カルピス）、「ファンタオレンジ」（コカ・コーラカスタマーマーケティング）、「C.C.レモン」（サントリーフーズ）、「三ツ矢サイダー」（アサヒ飲料）、「オロナミンC」（大塚製薬）などなど。原材料名をよく見て、スクラロースやアセスルファムKという文字がある製品は、買わないようにしましょう。

第4節　発がん性が確認されている
パン生地改良剤・臭素酸カリウム

発がん性物質が添加された、ふわふわのパン

「この食品には発がん性物質が添加されているが、ほとんど残留していないので安全です」

こう言われて、あなたはその食品を抵抗なく食べられるでしょうか？　実はこうした食品がコンビニやスーパーなどで大々的に売られているのです。

それは山崎製パンの「ランチパック」です。

その袋には、「このパンには品質改善と風味の向上のため臭素酸カリウムを使用してお

ります。残存に関しては厚生労働省の定める基準に合致しております。」と表示されています。

この臭素酸カリウムこそが発がん性物質なのです。ネズミを使った実験で、肝臓に腫瘍を、腹膜にがんを発生させることが分かっているのです。なお、「ランチパック」には、たまごやピーナッツ、ツナマヨネーズなど多くの種類がありますが、すべてこの表示があります。

おそらく読者のなかには、「ランチパック」を食べている人も多いでしょう。たいていのコンビニで売られていますし、歩きながらでも食べられるので、忙しいビジネスマンにとっては便利な食べ物ですから。

でも、こうした事実を知ってしまうと、食べる気がしなくなる人も多いかもしれませんね。「そんな体に悪いものを添加してもいいのか？」と憤りを感じている人もいると思います。しかし、山崎製パンは「添加する臭素酸カリウムは微量であり、パンが焼成される過程で分解されてしまうので、安全性に問題はない」と言っています。これを厚生労働省も認めていて、販売を許しているのです。

同社では、これまで臭素酸カリウムが添加された角型食パンを調べて、残留する量が

0・5ppb以下（ppbは10億分の1を表す濃度の単位）であることを確認したといいます。

これは確かにごく微量です。しかし、ゼロではないのです。

また、毎日大量に生産するパンをすべてチェックできるわけではありません。ですから、機械の調子や焼成加減で、臭素酸カリウムがもっと残ってしまうかもしれないのです。

そもそも発がん性のある化学物質を、あえてパンに使うという企業姿勢が問題なのです。パン生地を粘り強くし、弾力性のあるきめの細かいパンを作るためといいますが、大勢の人が食べる食品は、極力安全性に配慮すべきでしょう。

そうした観点から見れば、臭素酸カリウムは使うべきではありません。

ちなみに、大手パンメーカーで臭素酸カリウムを使っているのは、山崎製パンだけです。臭素酸カリウムは、「ランチパック」以外にも、食パンの「芳醇」「超芳醇」「超芳醇　特撰」「レーズン好きのレーズンブレッド」などにも使われています。

臭素酸カリウムをめぐる攻防

実は臭素酸カリウムの使用をめぐっては、過去にパンメーカーと消費者団体の激しい攻防がありました。

臭素酸カリウムが小麦粉改良剤として使用が認められたのは、1953年のことです。小麦粉改良剤とは、要するに小麦粉を、パンを作りやすい性質に変えるためのものです。

その後、単独で使われるよりは、イーストフードに混ぜる形で多く使われていました。イーストフードとは、イースト（パン酵母）のえさとして使われるものです。5品目程度の添加物をブレンドしたもので、いわば添加物の塊です。これをイーストに混ぜると、機械でも簡単にふっくらとしたパンを焼き上げることができるのです。

いわば膨張剤といえるもので、ほとんどのパンに使われています。そのイーストフードに臭素酸カリウムも加えられていたわけです。

こうして使われていた臭素酸カリウムですが、1976年、旧・厚生省が「臭素酸カリウムに変異原性がある」と発表しました。

変異原性とは、遺伝子を突然変異させたり、染色体を切断するなどの作用を持つことです。これは正常な細胞に突然変異を起こし、がん細胞に変化させる可能性を示しています。

そこで消費者団体は、旧・厚生省に対して、臭素酸カリウムの使用を禁止するように要求しました。

この頃は、学校給食のパンにも臭素酸カリウムが使われていたため、ＰＴＡの母親たちからも禁止を求める声が高まりました。しかし、厚生省はそれを受け入れませんでした。「動物実験で発がん性が確認されたのならともかく、変異原性だけでは使用禁止はできない」というのが、その理由でした。

それでも消費者団体と母親たちの勢いは、いっこうに収まりませんでした。遺伝子に異常をもたらし、細胞をがん化させる可能性のある添加物を子どもたちに毎日食べさせるわけにはいかなかったのでしょう。

こうした動きに対し、ついにパンメーカーは折れて、１９８０年11月、大手パンメーカーの団体である「日本パン工業会」は、臭素酸カリウムの使用をやめることを決定しました。

そして、加盟する27社がそれに従ったのです。さらに中小のパンメーカーも使用をやめていったのです。

臭素酸カリウムに発がん性が認められる

あとになってこの消費者団体と母親たちの行動は、正しかったことが証明されました。

というのも、動物実験が行なわれ、臭素酸カリウムに発がん性のあることが認められたからです。実験では、ラットに対して、臭素酸カリウムの濃度が０・０２５％、および０・０５％の飲料水を１１０週間与えました。その結果、腎臓の細胞に腫瘍が、さらに腹膜中皮腫というがんが高い割合で発生したのです。

この実験結果を受けて、ＷＨＯ（世界保健機関）のＩＡＲＣ（国際がん研究機関）は、臭素酸カリウムをグループ２Ｂ（ヒトに対して発がん性を示す可能性がかなり高い）の発がん性物質に指定しました。

ところが、この当時厚生省は、臭素酸カリウムの使用を全面的に禁止しませんでした。「最終食品の完成前に分解または除去すること」という条件つきで、小麦粉改良剤（小麦粉処理剤）としてパンに限って引き続き使用を認めたのです。おそらくその使用の可能性を残してほしいというパンメーカーの要望があったのでしょう。

そのため一部のパンメーカーは、臭素酸カリウムを使用し続けていたようです。

しかし、１９９２年にＦＡＯ（国際連合食糧農業機関）とＷＨＯの合同食品添加物専門家会議（ＪＥＣＦＡ）が、「臭素酸カリウムを小麦粉改良剤として使用するのは不適当」という結論を出しました。そのため、厚生省はパン業界に使用の自粛を要請し、それを受けて、業界では臭素酸カリウムの使用を全面的に自粛することになりました。

なお、臭素酸カリウムを使うのが困難になってからは、それに代わってビタミンCが使われるようになりました。これにも、臭素酸カリウムに似た働きがあるからです。現在市販されているパンに、たいてい「ビタミンC」という表示があるのはそのためです。

再び臭素酸カリウムを使い出した会社

ところが、山崎製パンは、なぜか臭素酸カリウムに強い執着を持っていて、それを再び使用しようと考えていたようです。

厚生省は、臭素酸カリウムの使用を禁止したわけではなく、前述のように「最終食品の完成前に分解または除去すること」という条件つきで認めていました。そこで、同社ではその条件を満たせばいいだろうと考えたようで、「分解または除去」されたことを確認する検査法の研究を続けていました。そして、それがついに完成したのです。

その検査法とは、焼き上がったパンに残存している臭素酸カリウムが0・5ppb以下であることを確認するというものでした。

ppbは、10億分の1を示す濃度の単位です。化学物質の濃度を表す単位としては、よくppm（100万分の1を表す濃度の単位）が使われますが、ppbはppmのさらに1000分の1の濃度です。そして0・5ppbは、1ppbのさらに半分です。これは、かなりの低濃度ということになります。

厚生労働省では、臭素酸カリウムの残存量が0・5ppb以下であれば、「臭素酸カリウムが除去できた」と判断し、2003年3月、それを確認する技術方法を、「食品中の臭素酸カリウム分析法について」と題して、各都道府県に通知しました。

これによって、残存量が0・5ppb以下であることが確認できれば、臭素酸カリウムが使えるようになったのです。

これを受けて山崎製パンでは、2004年6月から「国産小麦食パン」と「サンロイヤル　ファインアローマ」という食パンに、臭素酸カリウムを使い始めました。

「週刊金曜日」でパンに使われる添加物の危険性を指摘

私はこうした状況に危機感を覚えました。このままでいくと、山崎製パンのほとんどの食パンに臭素酸カリウムが使われることになりそうでしたし、それらの売り上げが伸びれば、ほかの大手パンメーカーも臭素酸カリウムを使うことが予想されたからです。

もしそうなったら、もはや安心してパンを食べることができなくなってしまいます。
また、残留検査がしだいに杜撰《ずさん》になって、臭素酸カリウム入りのパンが多く出回る危険性もありました。それは何としても食い止めなければならないと考えました。
そこで、こうした現状と問題点を、雑誌「週刊金曜日」２００４年10月8日号の「買ってはいけない」欄で指摘しました。その際、山崎製パンを取材したのですが、同社は、臭素酸カリウムを使う理由について、次のように答えました。

「『国産小麦食パン』につきましては、臭素酸カリウムの顕著な品質改良効果により、これまで困難であった国産小麦１００％の食パンをバイタルグルテン等の添加なしに作ることができました。また、『サンロイヤル　ファインアローマ』につきましては、発酵状態が格段に改善され、以前には得られなかった豊かな香りと風味のある食感を生み出し、また生地物性の改善により、老化（水分蒸散により固くなること）しにくく、やわらかさが持続する製品になっています」

これらの製品の袋には、「品質改善と風味向上のために」と書かれていますが、こうした理由があるからでしょう。

しかし、いくら風味が向上しようと、それ以上に大きな問題があるのは明らかだと思います。

最も問題なのは、消費者の健康を第一に考えない企業姿勢です。臭素酸カリウムは、動物実験で発がん性のあることが分かった化学合成物質です。本来こうした化学合成物質は、食品に混ぜるべきでないのは誰の目にも明らかでしょう。パンを焼成する過程で分解されるといっても、完全にゼロになるわけではありません。

また、焼成の仕方によっては、０・５ｐｐｂ以上残ってしまうかもしれません。人為的なミスで臭素酸カリウムが混入してしまう可能性もあります。

したがって、臭素酸カリウムの危険性をなくすためには、使わないようにするしかないのです。

山型食パンには臭素酸カリウムが残る

実はパンの焼成の仕方によっては、臭素酸カリウムが０・５ｐｐｂ以上残ってしまうことは、山崎製パンが行なった実験で明らかになっているのです。同社ではこれまで食パンに臭素酸カリウムが残留しないか、いろいろテストを行なってきています。その内容は、「食パン中の残存臭素酸量に及ぼす製パン条件および還元剤の影響」（『日本食品科学工学会誌』第51巻第5号に掲載）という論文にまとめられています。

それによると、四角い「角型食パン」では臭素酸カリウムは残留しないが、上部が丸い「山型食パン」では残留することが示されています。臭素酸カリウムは、［ダブルソフト］や［新食感宣言（山型）］には使われていません。それらは山型なので臭素酸カリウムが残留してしまうため、使えないのです。

次ページの表は、食パンにどの程度臭素酸カリウムが残るかを調べたテスト結果です。「ＮＤ」とは、検出限界値（0・5ｐｐｂ）未満を意味します。

角型食パンの場合、添加した臭素酸カリウムの濃度が、小麦粉の量に対して13ｐｐｍと15ｐｐｍでは検出限界値未満ですが、30ｐｐｍでは0・9ｐｐｂ残存しています。

なお、臭素酸カリウムの有無は、「臭素酸」が残存しているかどうかで調べることになっています。

つまり、臭素酸カリウムの添加量が30ｐｐｍを超えれば、0・5ｐｐｂ以上残ってしまうということなのです。これでは、「分解または除去」という条件を満たさないことにな

臭素酸カリウムを添加した食パン中の臭素酸残存量

	臭素酸カリウムの添加濃度（対粉 ppm）	臭素酸残存量（ppb）
角型食パン	13	ND[a]
	15	ND[a]
	30	0.9
山型食パン	9	7.1
	13	13.3
	30	48.0

[a] 検出限界＜0.5ppb

ります。

同社では、工場で食パンを生産する際の臭素酸カリウムの添加濃度について、「10～13ｐｐｍ」としています。しかし、これがきちんと守られない場合、０・５ｐｐｂを超えて残ってしまう心配があるのです。

一方、山型食パンの場合、臭素酸カリウムの濃度が９ｐｐｍ、13ｐｐｍ、30ｐｐｍでは、残留量が７・１ｐｐｂ、13・３ｐｐｂ、48・０ｐｐｂと、いずれも０・５ｐｐｂを大きく上回っています。前の論文では、この理由として、「焼成中に上部クラフト部分が乾燥する、或いは、小麦タンパク質の急激な熱変性によって、臭素酸との反応性が低くなることが原因であることが推測されたが、これらに関する詳細については明らかにされておらず、さらなる研究が必要であると考えられます」と記されています。

山型食パンにおける製造工程の焼成条件の違いによる臭素酸残存量

焼成蓋の有無	焼成温度(℃)	焼成時間(分)	臭素酸残存量(ppb)
無	210	16	56.2
無	210	22	9.7
無	210	26	7.4
無	210	33	2.8
無	170	30	14.0
有	170	30	ND[a]

[a] 検出限界<0.5ppb

焼く時間によって臭素酸カリウムの残存量が多くなることもある

以上の実験結果によると、臭素酸カリウムが残留するか否かは、添加する濃度やパンの形によって違ってくることが分かります。それだけ微妙な問題だということです。

さらに上の表は、山型食パンについて、製造の条件によって臭素酸カリウムの残存量が、どの程度違ってくるかを調べた結果です。焼成温度が210℃の場合、焼成時間が16分と短いと、56・2ppb残ります。焼成時間が長くなるにしたがって、その量は減っていきますが、最長の33分でも2・8ppb残ります。

論文には、「この焼成条件よりも長時間の焼成ではパンが焼きすぎになることが明らかであり、焼成温度及び時間を調節することによって、山型食パンの残存臭素酸量を検出限界である0・5ppb以下に低減することは不可能であることが明らかになった」と記されています。

また、焼成温度が170℃の場合、パンを焼く型に蓋《ふた》をすると、検出限界値未満になりますが、蓋をしないと焼成時間が30分と長くても14・0ppb残ってしまいます。

つまり、臭素酸カリウムが残るか否か、またその残存量はパンを焼く温度や時間、蓋をするかしないかなどの条件によって、微妙に変わってくるということです。

結局、角型食パンの場合でも、臭素酸カリウムの添加量および焼成の温度や時間を間違えば、0・5ppbを超えて残ってしまうことがあり得るのです。

最近の食パンには臭素酸カリウムは使われなくなった

同社の工場は全国各地にあり、そこで毎日大量のパンが生産されています。

それらがすべて、臭素酸カリウムが0・5ppb以下になるような条件が守られて生産されているのか、はなはだ疑問を感じます。

仮にきちんと守られて、0・5ppb以下であったとしても、発がんにまったく関係しないのか、という心配もあります。前述のように発がん性物質は、放射線と同じで「しきい値」がないとされています。

したがって、消費者にこうした脅威を与えないためには、臭素酸カリウムを使わないようにするしかないのです。

ちなみに、同社でも同じような認識を持つようになったのか、あるいは私がしつこく臭素酸カリウム使用の問題点を指摘し続けているためか、最近発売された角型食パンには、臭素酸カリウムは使われていません。

しかし、「ランチパック」のほか、前にあげた食パンには今でも使われているのです。

第5節　発がん性の疑いのある合成着色料・タール色素

ご飯につく福神漬けの不気味な赤い色

レストランや食堂などでカレーライスを頼むと、たいてい真っ赤な福神漬けがご飯に添えられています。なぜカレーに福神漬けなのか実に不思議ですが、それはともかくとして、その赤い色は不気味です。

とくに福神漬けによって赤く染められたご飯を見ると、不気味さは倍増され、「こんな赤いものを食べても平気なのか？」という思いがこみ上げてきます。

また、食堂やお祭りなどの屋台で売られている焼きそばには、真っ赤な紅ショウガが添えられています。これも福神漬けと同じで、めんを真っ赤に染めています。その赤い色も、やはり不気味です。

これらの赤い色は、合成着色料のタール色素によって作り出されたものです。紅ショウガには、タール色素の赤色102号（赤102）が使われています。福神漬けには、赤色102号のほか、赤色106号（赤106）、黄色4号（黄4）、黄色5号（黄5）などが使われています。

タール色素は、19世紀の中頃にドイツで開発されたものです。コールタールを原料に作られていたため、この名前がつけられました。その後、コールタールに発がん性のあることが分かったため、現在は石油製品から作られています。

タール色素は染料として繊維や合成樹脂などに使われていましたが、化粧品や食品にも鮮やかな色を出すために使われるようになりました。化粧品の場合、口紅などに使われています。また、石けんやボディソープ、シャンプー、消臭剤などの生活雑貨にも使われています。そして食品にも使われているのです。現在、日本で食品添加物として認められているタール色素は全部で12品目あります。

プラスチックを混ぜるのと同じこと

タール色素は、福神漬けや紅ショウガなどの漬け物のほか、菓子パン、チョコレート、あめ、ビーンズ、つまみ、清涼飲料など多くの食品に使われています。

この色素の特徴はいつまでたっても分解されず、色落ちしないことです。自然界にまったく存在しない化学合成物質であるため、微生物や紫外線などによって分解されることがないからです。また、一度体内に入ると、ほとんど分解されることなく「異物」となって体中をグルグルめぐります。

しかも、その化学構造から、発がん性や催奇形性《さいきけいせい》（胎児に障害をもたらす毒性）の疑いのあるものが多いのです。

実際、一度添加物として使用が認められながらも、その後発がん性があるなどの理由で使用禁止になったものが、赤色1号、黄色3号、紫色1号など全部で18品目もあるのです。現在、添加物として使用が認められているタール色素も、今後使用禁止になる可能性があります。

食品の原料は、すべて自然界からとれたものです。土壌中の成分や水、そして太陽のエネルギーによって、炭水化物、たんぱく質、脂肪などのさまざまな成分が作り出され、それらを食品として人間が食べ、そして栄養分として吸収することによって、人間の体が作られ維持されているのです。

ところが、タール色素のように自然界に存在しない化学合成物質は栄養になることはなく、単なる「異物」となって体中をめぐります。そして、各臓器や組織の細胞、さらに細胞の遺伝子にダメージを与える可能性があるのです。

タール色素は、自然界に存在せず、環境中でも体内でも分解されないという点では、プラスチックと同じです。したがって、これらを食品に混ぜるということは、ある意味では、プラスチックを混ぜることと同じなのです。また、前に取り上げたメラミンとも共通する点が多いのです。

したがって、本来なら食品に混ぜることなど到底許されるべきではないのです。

イチゴのかき氷に使われるが、アメリカでは禁止の赤色２号

現在、使用が認められているタール色素は、赤色２号、赤色３号、赤色40号、赤色１０

2号、赤色104号、赤色105号、赤色106号、黄色4号、黄色5号、青色1号、青色2号、緑色3号です。実はこれらのなかで、赤色2号については、アメリカで発がん性があるとして使用禁止になっているのです。

アメリカ食品医薬品局（FDA）が、赤色2号を0・003〜3％含むえさをラットに131週間食べさせた実験で、高濃度投与群では、44匹中14匹にがんの発生が認められました。

一方、対照群では、がんの発生は44匹中4匹でした。

そのためFDAは「安全性を確保できない」として、赤色2号の使用を禁止したのです。

ところが、日本の厚生労働省は、今でも使用を認めているのです。

こうした発がん性の疑わしい添加物は、すぐさま使用を禁止すべきだと思うのですが、消費者よりも業者の利益を優先させる厚生労働省は、禁止にはしていないのです。

ただし、食品メーカーも赤色2号は問題と考えているようで、現在はほとんど使われていません。赤色2号はひじょうに鮮やかな赤色にできるため、昔はかき氷のシロップによく使われていましたが、今は市販のシロップには使われていないのです。

しかしながら、業務用のシロップには今でも使われています。お祭りや縁日などに屋台が出ますが、そうしたところで売られているイチゴのかき氷には、赤色２号を使ったシロップが使われることが多いのです。

また、ディスカウントスーパーなどで、業務用シロップが売られていることがありますが、それにも含まれているので注意してください。

タール色素の恐ろしい毒性

赤色２号は、アゾ結合という独特の化学構造を持っているのですが、同様に赤色40号、赤色１０２号、黄色４号、黄色５号もアゾ結合を持っていて、化学構造も似ています。

したがって、これらも発がん性の可能性があるのです。

さらに、赤色40号については、ビーグル犬を使った実験で、腎臓の糸球体《しきゅうたい》の細胞に異常が認められています。人間が摂取した場合も、腎臓にダメージをおよぼす可能性があります。また、赤色１０２号の場合は、２％含むえさをラットに90日間食べさせた実験で、赤血球とヘモグロビン値の低下が認められています。これは、貧血を起こす可能性があるということです。黄色５号については、１％含むえさをビーグル犬に食べさせた実験で、体重減少や下痢が見られました。

このほか、赤色102号、黄色4号、黄色5号については、人間にじんましんを起こすことが知られていて、皮膚科医の間では警戒されているのです。これらは漬け物やお菓子類などによく使われています。アレルギーを起こしやすい人、とくにじんましんを起こしやすい人は要注意です。

残りのタール色素も、いずれも安全性が疑わしいものばかりです。青色1号、青色2号、緑色3号については、いずれもラットに注射した実験で、がんが発生しました。そのため、発がん性の疑いが持たれています。

赤色3号については、ラットを使った実験で甲状腺腫の明らかな増加が、赤色105号については、同様な実験で肝臓障害の際に増えるGPTとGOTの増加が認められました。また、赤色104号は、海外では発がん性の疑いがあるとして、使用が認められていない国があります。赤色106号も同様な理由で、海外ではほとんど使用が認められていません。

このように、現在使用が認められている12品目のタール色素はすべて問題があるのです。そのため、最近では天然着色料が使われる傾向にありますが、鮮やかな色を長期にわたって保ちたいという理由で、今でもタール色素が使われているケースも多いのです。

漬け物を食べる人にはなぜ胃がんが多いのか

ところで、前に明太子を頻繁に食べている人は胃がんの発生率が高いという疫学調査を紹介しましたが、この調査では、漬け物と胃がんの関係についても調べられています。

漬け物を食べる頻度を、「ほとんど食べない」「週1〜2日」「週3〜4日」「ほとんど毎日」に分類して、それと胃がん発生率との関係を調べたのです。

その結果、「ほとんど食べない」を1とした場合、「週1〜2日」が1・54倍、「週3〜4日」が2・71倍、「ほとんど毎日」が2・35倍でした。明太子のように完全な比例関係にはなっていませんが、漬け物を食べている人のほうが胃がんの発生率が高いのは明らかです。とくに「週3〜4日」の場合、かなり高い割合で胃がんが発生しています。

ということは、やはり漬け物が胃がん発生に関係していると考えるべきでしょう。

そのメカニズムは、明太子と同じと考えられます。つまり、漬け物に含まれる塩分によって胃の粘液が溶かされ、粘膜が胃酸によってダメージを受けて炎症を起こし、それを修復するために粘膜の細胞が分裂を繰り返します。

その際に、何らかの発がん性物質が作用して、細胞ががん化するというものです。

では、その「発がん性物質」とは何でしょうか？

ここで考えられるのが、タール色素なのです。漬け物にはいろいろ種類がありますが、紅ショウガ、福神漬け、柴漬け、たくあんなどの着色には赤色102号、赤色106号、黄色4号、黄色5号などのタール色素が使われることが多いのです。

したがって、それらが細胞の遺伝子に作用して、細胞を突然変異させ、がん化につながったということが考えられるのです。

ただし、これはあくまでも一つの見方です。漬け物と一口にいっても家で漬けたぬか漬けや塩漬け、それから野菜色素などの天然着色料を使ったものもありますので、一概にタール色素が使われているというわけではありません。

しかし、そういう点を考慮しても、漬け物を頻繁に食べる人に胃がんが多いということからは、やはりタール色素が一つの影響要因になっているということが考えられるのです。

タール色素はアレルギーも起こす

タール色素は、もう一つ問題を抱えています。それは、アレルゲンになるということです。前にも書いたように赤色102号、黄色4号、黄色5号はじんましんを起こすものとして、皮膚科医の間では警戒されています。これらは最もよく使われているタール色素ですが、ほかのタール色素もじんましんなどを起こす可能性があると考えられます。

じんましんはアレルギーの一種であり、それは免疫の働きによって起こります。そのメカニズムは、次のようなものです。

まず、じんましんを起こすアレルゲン（魚介類、肉類、卵、添加物など）が口から入ってきて、それらのアレルギー成分が体内に侵入してきたとします。すると、それを免疫が察知して、ヘルパーT細胞という免疫細胞が、B細胞という免疫細胞に指令を出します。すると、B細胞はその指令に従って、抗体というものを作り出します。すると、抗体はマストセル（肥満細胞）という細胞の表面にくっつきます。肥満細胞は肥満を起こすというわけではなく、丸く太ったように見えるのでこんな名前がついています。

これだけではアレルギー反応は起こりません。ところが、アレルギー成分が再び侵入してくると、それをマストセルがキャッチして、その結果、マストセルからヒスタミンやロイコトリエンといった生理活性物質が放出されます。これらの物質は、血管を拡張したり、血管の壁から物質が通り抜けやすいようにするなどの作用があります。

その結果、血液から血しょう成分が漏《も》れ出して、皮膚が赤くなったり、かゆくなったりするのです。これは、一種の防御反応であり、また警告反応ともいえます。つまり、その人にとってうまく処理できない成分が入ってきた時に、それを免疫が察知して、血液から排除しようとすると考えられます。それが、じんましんとなって現れるのです。

また、体が「もうこんな成分を取り込まないようにして」と訴えているという見方もできます。

タール色素はいずれも、体にとっては異物であり、プラスになるものではありません。それは、血流に乗って体中をグルグルめぐり、臓器や細胞の遺伝子に障害をもたらす可能性があります。それを体の免疫が素早く察知し、警告を発するとともに、排除しようとすると考えられます。その表れがじんましんなのです。ですから、じんましんが出たら、すぐさま食べるのをやめるようにしなければならないのです。

五感をもっと働かそう！

免疫は体を守るための重要なシステムですが、ほかにも体を守る仕組みが人間には備わっています。それは、五感です。

人間には、味覚、嗅覚《きゅうかく》、視覚、聴覚、触覚がありますが、それらは自己を守る重要な感覚でもあるのです。

その最たるものは、嗅覚です。体に害のあるものに対しては、嫌な臭いとして敏感に察知して、吸い込んだり、食べたりしないようにして体を守ります。

たとえば、農薬や消毒薬などの場合、それらから漂ってくる臭いを不快なものとして認識し、摂取しないようにしているのです。

味覚も同様です。腐った食べ物を誤って食べてしまった場合、変な味を感じて、すぐさま吐き出します。そのまま飲み込んでしまえば、食中毒などを起こすからです。

つまり、味覚によって体を守っているのです。

視覚もそれに近い機能を備えていると考えられます。たとえば、紅テングタケという毒キノコがありますが、実に赤い不気味な色をしています。その色は、どう見ても体によさそうではありません。それを直感的に人間は感じ取るのです。そして、「これは食べないほうがよさそうだ」と感じるのです。

では、紅ショウガや福神漬けの人工的で鮮やかすぎる赤色はどうでしょうか？

その色はどう見ても不気味であり、体にとって好ましいものではないことを直感させるはずです。そう感じ取れば、当然ながら食べることに抵抗を覚えるでしょう。

こうした鮮やかでどぎつい色を「気持ち悪い」と感じるか、逆に「おいしそう」と感じるかは人それぞれだと思いますが、この感じ方が合成着色料に対する意識の違いになると考えられます。

もし「気持ち悪い」と感じる人は、メロンソーダの鮮やかな緑色やカクテルのブルーハワイの青色に対しても、疑問や抵抗を感じるでしょう。

一方、「おいしそう」と感じる人は、それらに対しても何も抵抗を感じることはないでしょう。

私としては消費者に、もっと五感を働かせてほしいと思っています。「この真っ赤な色は何？」「この緑色は体に害はないのか？」と素朴な疑問を持ってほしいのです。そうすれば、真っ赤な紅ショウガや福神漬け、真緑のメロンソーダに警戒感を持つようになるはずです。そして、口に入れるのを躊躇《ちゆうちよ》するようになるはずです。

そうした人が増えれば、タール色素はだんだん使われなくなっていくでしょう。

第6節　発がん性と催奇形性が明らかな防カビ剤のOPPとTBZ

オレンジやグレープフルーツに使われる危険な添加物

発がん性が明らかとなり、本来は禁止されるべきなのに、アメリカ政府の圧力によって今でも使用が認められている添加物があります。

輸入されたレモンやオレンジ、グレープフルーツ、あるいはスイーティー（グレープフルーツとブンタンを掛け合わせたもので、イスラエルで生産されている）などに使われている防カビ剤（防ばい剤）のOPP（オルトフェニルフェノール）とOPP－Na（オルトフェニルフェノールナトリウム）です。これらは、過去に東京都立衛生研究所（現・東京都健康安全研究センター）が行なった動物実験によって、発がん性が確認されているのです。

ところが、旧・厚生省はそれを受け入れようとはせず、使用禁止にしなかったのです。そのため、今でもOPPとOPP－Naは、防カビ剤として輸入のかんきつ類に使われ、それらの皮や果肉に残留しています。したがって、それらを食べることは、がんになる確率を高めることになると考えられます。

また、同じ防カビ剤のTBZ（チアベンダゾール）は、同研究所の動物実験で催奇形性が認められています。妊娠している女性が催奇形性のある化学合成物質を摂取した場合、お腹の胎児に先天性障害が起こる危険性があります。しかし、この実験結果についても旧・厚生省は受け入れようとせず、今でも使用が認められているのです。

レモンやオレンジ、グレープフルーツ、スイーティーの場合、主にアメリカやイスラエルなどで収穫されたものが、日本に輸出されています。それらの産地は、遠く離れています。したがって、収穫された果実が船で運ばれてきた場合、日本に着くまでに数週間かかります。その間に、腐ったり、カビが生えるということが起こります。それを防ぐためにOPPやOPP－Na、TBZが使われているのです。

アメリカ政府の圧力でOPPが認可される

OPPの使用が日本で認可されたのは1977年ですが、その認可をめぐっては、アメリカ政府との激しい「綱引き」がありました。その2年前の1975年4月のこと、当時の農林省が、アメリカから輸入したグレープフルーツ、レモン、オレンジの検査を行なったところ、グレープフルーツからOPPが検出されました。この当時、アメリカではOPPがカビの発生を防ぐために使われていたのですが、日本ではまだ食品添加物として使用が認められていませんでした。つまり、食品衛生法に違反していたのです。

そこで、当時の厚生省は輸入した業者に対して、違反しているかんきつ類を廃棄することを命じました。そのため、それらは海に捨てられました。

ところが、アメリカ国内では、この処置に対して怒りの声が沸き上がりました。それは当然のことかもしれません。アメリカでは流通が認められている果物が、日本で拒否され、廃棄されたのですから。

そこでアメリカ政府は、OPPの使用を認めるように、日本政府に圧力をかけてきました。当時の農務長官や大統領までもが、日本政府の首脳にOPPを認可するように迫ったといいます。OPPは、かんきつ類を船で輸送する際に発生する白カビを防ぐのにどうしても必要であり、OPPが使えなければ、かんきつ類を日本に輸出できなかったからです。

この頃日米間では、貿易摩擦が起こっていました。日本から自動車や電化製品が大量に輸出され、貿易のアンバランスが生じていたのです。アメリカ政府は、その見返りに牛肉とかんきつ類の輸入を求めていました。

もし、日本政府がOPPを認可しなければ、アメリカ側がかんきつ類を輸出できず、アメリカ政府は非関税障壁として、対抗措置を講じることが考えられました。

つまり、日本の自動車や電化製品の輸入を制限する可能性があったのです。

そこで、OPPを認可するか否かは、「高度な政治判断」というものに委《ゆだ》ねられることになり、結局、1977年4月にその使用が認可されたのです。その際、OPPにNa（ナトリウム）を結合させたOPP‐Naも一緒に認可されました。

発がん性が認められたOPP

そんな経緯《けいい》で使えるようになったOPPですが、実はかつて農薬として使われていたものなのです。日本では、1955年に殺菌剤としての使用が認められました。ただし、1969年に登録が取り消されたため、農薬としては使えなくなりました。

農薬は昆虫や細菌を殺したり、雑草を枯らすなど毒性の強い化学合成物質です。それを食品に使用する添加物として認めるのはおかしい、誰もがそう思うはずです。役所に勤める人にもそう感じる人たちがいました。東京都立衛生研究所の研究者たちです。

彼らはOPPの安全性に疑問を抱き、動物を使ってその毒性を調べることを決意しました。そして、ＯＰＰを１・２５％含むえさをラットに91週間食べさせる実験を行なったのです。その結果、83％という高い割合で膀胱《ぼうこう》がんが発生したのです。

東京都立衛生研究所は、いうまでもなく公の研究機関です。地方公共団体の研究所のなかでも規模が大きく、実績のある所です。そこが、こうした実験結果を発表したのですから、厚生省はそれを受けて、ＯＰＰの使用をすぐに禁止するのが普通です。

ところが、厚生省はそうではありませんでした。「国の研究機関で追試を行なう」などといって、その結果を棚上げにしてしまったのです。そして、追試した結果、がんの発生は認められなかったとして、結局、ＯＰＰを禁止しませんでした。そのため、ＯＰＰは今でもグレープフルーツやレモン、オレンジなどに使われているのです。

この際に、政治的な判断が働いたであろうことは、容易に想像できます。アメリカ政府は強い圧力をかけて、やっと日本政府にＯＰＰの使用を認めさせました。そして、かんきつ類の輸出ができるようになりました。そんな状況のなかで、日本政府が、すぐにその使用を禁止したら、貿易摩擦が再燃するのは明らかです。それを日本政府は避けたかったのでしょう。

しかし、そうした措置によって、私たち日本人がＯＰＰの脅威にさらされることになったのです。

お腹の赤ちゃんに先天性障害が認められたTBZ

もう一つの防カビ剤・TBZについても事情は同じです。厚生省は、OPPを認可した翌年の１９７８年、TBZも防カビ剤として認可しました。OPPとTBZを併用すると防カビ効果が一段と高まるからです。スーパーに売られているグレープフルーツやオレンジなどの袋を一度見てください。たいてい小さな文字で、OPP、TBZと表示されているはずです。

しかし、TBZはれっきとした農薬なのです。１９７２年に農薬（殺菌剤）として登録され、今でも使われているものなのです。当然ながら東京都立衛生研究所の研究者たちは、TBZも危険性が高いと判断し、動物実験を行ないました。

マウスに対して体重1kgあたり0・7〜2・4gを毎日、経口投与して観察したのです。その結果、お腹の子どもに外表奇形と骨格異常、とくに口蓋裂《こうがいれつ》および脊椎癒着《せきついゆちゃく》が認められました。

また、妊娠ラットに対して体重1kgあたり1gのTBZを1回だけ経口投与した実験でも、お腹の子どもに手足と尾の奇形が認められました。つまり、ＴＢＺには催奇形性があることが証明されたのです。

ところが、厚生省はこの実験結果も無視しました。そのため、ＴＢＺは今でもＯＰＰと同様に使用が認められているのです。

輸入されたレモン、オレンジ、グレープフルーツにはたいていＯＰＰまたはＯＰＰ－Na、ＴＢＺが使われています。そして、袋やパック入りの製品には、それらが表示されていま す。また、スーパーや青果店などでバラ売りされている場合も、表示がなされることになっています。

添加物の表示については、容器・包装に入っているものに対して行なうのが原則なので、バラ売りされている果物は一般にはその対象になりません。

しかし、レモン、オレンジ、グレープフルーツについては、ＯＰＰ、ＯＰＰ－Na、ＴＢＺが使用されている場合、その旨の表示を指導するように、消費者庁が各都道府県と政令指定都市に求めています。そのため、バラ売りの場合でも、ポップやプレートなどによって、表示がなされているのです。ただし、各自治体によって指導がまちまちなようで、表示されていないケースもあります。

知人（東京都在住）からこんな話を聞きました。彼女はいつも近所のチェーン店であるスーパーでオレンジやグレープフルーツを買って食べているとのこと。ただ、売り場にOPPやTBZについての表示がないため、てっきり使っていないものだと思っていたそうです。ある時、ふと思い立ってスーパーに電話した時のやりとりは次の通りだったそうです。

知人「オレンジ売り場にOPPやTBZについての表示はありませんが、使用していないのでしょうか？」
店側「いいえ、使っていますよ。今日本に輸入されているオレンジやグレープフルーツ、レモンでOPPやTBZが使われていないのはないんじゃないでしょうかね」
知人「でも、売り場にそのような表示はないですよね？」
店側「レモン売り場に一括して表示してあります」
知人「レモンと、オレンジやグレープフルーツは置かれている場所が違うのに、一括表示なんておかしくないですか？」
店側「わかりました。それらの場所にも表示しておきます」
このやりとりから、表示が十分には行なわれておらず、自分の身は自分で守るしかないことが明らかでしょう。

果肉からも検出されるOPPとTBZ

これまで輸入のオレンジ、グレープフルーツ、レモンについては数多くの検査が行なわれていますが、皮からはｐｐｍレベルでＯＰＰやＴＢＺが検出されています。したがって、皮を食べるのは危険です。レモンを丸ごと、もしくはスライスして食べるのはやめたほうがよいでしょう。また、オレンジやグレープフルーツ、レモンの皮でマーマレードを作るのもやめたほうがよいでしょう。

「果肉はどうなの？」という人もいると思いますが、これまでの検査で、果肉にもｐｐｍレベル、あるいはｐｐｂレベルで残留していることが分かっていますので、こちらも食べないほうがよいでしょう。

では、最新の残留データを見てみることにしましょう。東京都では、毎年輸入農産物に対して、農薬の残留検査を実施しており、その一環としてＯＰＰとＴＢＺについても検査しています。２０１０年から２０１１年にかけての検査では、アメリカ産のグレープフルーツからＯＰＰが最大で１・４ｐｐｍ検出されています。これは果皮と果肉を含めた全体を検査したものです。同じく、ＴＢＺは最大で１・３ｐｐｍでした。果肉部分については、ＴＢＺが最大で０・３９ｐｐｍ検出されました。

次にレモンはどうでしょうか？　アメリカ産のレモン（全体）から、ＯＰＰが０・０２ｐｐｍ、同じくＴＢＺは最大で０・９ｐｐｍ検出されました。果肉からはＴＢＺが最大で０・１５ｐｐｍ検出されました。

オレンジも見てみましょう。オーストラリア産のオレンジ（全体）からＴＢＺが０・８２ｐｐｍ、果肉からは０・０１ｐｐｍ検出されました。また、アメリカ産のオレンジ（全体）からはＴＢＺが最大で２・１ｐｐｍ、果肉からは最大で０・０８ｐｐｍ。さらに、イスラエル産のスイーティーの果肉からもＴＢＺが０・０２ｐｐｍ検出されました。全体からはＴＢＺが２・５ｐｐｍ、ＯＰＰが０・０２ｐｐｍでした。このほか、メキシコ産のライム（全体）からＴＢＺが３・２ｐｐｍ、果肉から０・０１ｐｐｍ検出されました。

以上のように、現在も輸入のオレンジ、レモン、グレープフルーツなどからはＯＰＰやＴＢＺがｐｐｍレベルで検出されているのです。したがって、それらはできるだけ食べないほうが無難です。とくに妊娠中の女性は食べないようにしてください。

アメリカの利益を優先する旧・厚生省

輸入のかんきつ類には、別の防カビ剤も使われています。それは、イマザリルという化学合成物質です。これが認可されたのは、１９９２年11月ですが、その経緯は信じられないような不合理なものでした。

この当時、アメリカから輸入されたレモンについて、ある市民グループが独自に検査したところ、ある農薬が検出されました。それが、イマザリルだったのです。レモンが腐ったり、カビが生えたりしないように、ポストハーベスト（収穫後に使用する農薬）として使われていたのです。

この事例は、１９７５年にグレープフルーツからＯＰＰが検出されたケースに似ています。その際、ＯＰＰは添加物として認可されていなかったため、そのグレープフルーツは海に廃棄されたのでした。同様にイマザリルも添加物として認可されていません。ですから、前と同じように廃棄されてしかるべきです。

ところが、過去にそれを行なって、アメリカ政府から猛抗議を受けたという苦い経験を持つ当時の厚生省は、驚くべき行動に出たのです。なんと、すぐさまイマザリルを食品添加物として認可してしまったのです。そのため、輸入かんきつ類にイマザリルが残留していても、食品衛生法に違反しないことになりました。こうしてイマザリルを使用したかんきつ類が堂々と輸入されるようになったのです。

ここにも、同省が日本の消費者よりも、アメリカの政府や業者の利益を優先させていることが分かります。行政がこうした状態なのですから、消費者は自分の健康は自分で守らなければならないのです。

輸入かんきつ類から検出される、急性毒性が強いイマザリル

イマザリルは、日本では農薬に登録されていませんが、アメリカではポストハーベストの農薬として使われているようです。急性毒性が強く、ラットを半数死亡させる経口致死量は、体重１kgあたり２７７〜３７１㎎。この値に基づいたヒト推定致死量は20〜30ｇです。

イマザリルを０・０１２、０・０２４、０・０４８％含むえさでマウスを育てた実験では、そのマウスから生まれた子どもに、授乳初期の体重増加抑制と神経行動毒性が認められました。また、東京都立衛生研究所がマウスにイマザリルを投与した実験では、繁殖・行動発達に抑制が見られたほか、妊娠マウスに投与した実験では、内反足《ないはんそく》・内反手《ないはんしゅ》の子ど

もの数が増加しました。ただし、用量との関係は認められませんでした。

これらの結果から、イマザリルが神経行動毒性を持ち、行動発達を抑制することが分かります。つまり、神経や脳に影響する可能性があるということです。最近、多動などの問題行動を起こす子どもが増えていますが、何らかの関係があるのかもしれません。

これまでの輸入かんきつ類の検査で、イマザリルも全体や果肉から検出されています。前述の東京都の検査では、オーストラリア産のオレンジ（全体）から１・６ppm、果肉から０・０５ppm、南アフリカ産のオレンジ（全体）から１・０ppm、果肉から０・０２ppm検出されています。

このほか、アメリカ産のレモン（全体）から最大で１・１ppm、果肉からは最大で０・７７ppm検出されています。アメリカ産のグレープフルーツ（全体）からも最大で１・３ppm、果肉からは最大で０・０２ppm、また、イスラエル産スイーティー（全体）から０・４９ppm検出されています。

なお、防カビ剤にはもう一つジフェニル（ＤＰ）があります。１９７１年に認可されたものですが、ラットにジフェニルを０・２５％および０・５％含むえさを食べさせた実験では、60週頃から血尿が出始め、死亡する例も多く見られました。解剖したところ、腎臓や膀胱に結石ができたため、血尿が出たことが分かりました。

また、0・001〜1%含むえさをラットに750日間与えた実験では、1%群でヘモグロビン値の低下が見られ、0・5%と1%群では腎臓の尿細管の萎縮と局部的な拡張、および尿中へのたんぱく質排泄《はいせつ》の増加が認められました。どうやら腎臓や膀胱に悪影響をもたらすようです。ただし、現在ジフェニルはあまり使われていません。


ちなみに、国内産のレモン、オレンジ、あるいはミカンには、OPP、OPP－Na、TBZ、イマザリル、ジフェニルが使われることは通常ありません。

第7節　ヒト推定致死量が茶さじ1杯の殺菌料・次亜塩素酸ナトリウム

居酒屋のつまみに多用される、殺菌力が強い添加物

仕事の帰りに居酒屋で「一杯やる」人はとても多いと思います。会社の同僚や上司、部下と飲む時もあるでしょうし、一人静かに飲む時もあるでしょう。居酒屋もいろいろあって、個人が経営する小さな店もありますし、全国的な居酒屋チェーンもあります。

一日の疲れを癒し、明日への活力を与えてくれるはずの居酒屋なのですが、なかには変

な味のする、安全性の不確かな肴《さかな》を出す店があるので注意してください。

というのも、殺菌料の次亜塩素酸《じあえんそさん》ナトリウムが安易に使われているからです。これは、プールの消毒に使われている化学合成物質です。「カビキラー」や「ハイター」の主成分でもあります。これまで私は何度も、次亜塩素酸ナトリウムが使われた料理を口にしたことがあります。

最近、千葉県船橋市のある大衆居酒屋に入った時のことでした。そこは、料理が低価格で、しかもおいしいということで、とくに勤め帰りのサラリーマンに人気がある店でした。ちなみに、ビールの大瓶が４８０円という低価格です。

私はビールを飲みながら、刺身やコロッケなどを食べていたのですが、「キスの天ぷら」というメニューが目に留まりました。キスの天ぷらは、やわらかくて独特の味わいがあるため、天ぷらのなかでもとくに好きな料理です。ただし、実はキスには次亜塩素酸ナトリウムが使われていることが多いのです。おそらく傷みやすい魚なので、それを防ぐために使われているのでしょう。私はこれまでに天ぷら店で、何回も次亜塩素酸ナトリウムが使われたキスの天ぷらを口にしたことがあり、警戒心を抱いていました。

ただし、その店は値段が安い割にはとても新鮮な刺身を出していたので、「キスには次亜塩素酸ナトリウムが使われていないかもしれない」というかすかな期待を持って注文してみました。

「キスの天ぷら」に急性毒性が強い添加物が混入

しばらくしてキスの天ぷらが出てきました。私は多少不安を感じましたが、思い切って口のなかに入れました。ところが、残念ながら、あの次亜塩素酸ナトリウムの薬っぽい、少し酸《す》っぱいような嫌な味がしたのです。「この店でも使われているのか」と私はため息をつきました。

おそらく仕入れたキスに、すでに次亜塩素酸ナトリウムが使われていたのだと思います。ですから、次亜塩素酸ナトリウムの使用によほど注意を払っている人でない限り、それが添加されたキスを使ってしまうということになるのです。

次亜塩素酸ナトリウムは、最も急性毒性の強い添加物です。マウスを使った実験では、その半数を死亡させる量が体重1kgあたり0・012gというデータがあります。これに基づいたヒト推定致死量は、わずか茶さじ1杯です。また、成長期のラットに次亜塩素酸ナトリウムを飲料水に混ぜて投与した実験では、2週間投与では0・25%以上、13週間投与では0・2％以上の混入で、著しい体重増加抑制が認められました。おそらく胃や腸が荒れて、食欲不振や消化不良に陥ったのでしょう。人間が食べ物と一緒に摂取した場合も、食道や胃や腸などの粘膜が傷つくことは間違いないでしょう。

このほか、人間の場合、次亜塩素酸ナトリウムを常用する洗濯業者に皮膚炎が見られたとの報告があります。皮膚の細胞を破壊したためと考えられます。

次亜塩素酸ナトリウムは、魚介類や野菜などに殺菌の目的で使われていますが、分解されて食品には残留しないという前提で使われているため、表示が免除されています。そのため、使われていても分からないという状況なのです。

ただし、実際には次亜塩素酸ナトリウムは食品に残留しているのです。

そして、残っていた場合、独特の味がします。薬っぽいような、塩素臭いような、少し酸っぱいような、何ともいえない嫌な味です。おそらく、体にとって害があるからでしょう。

食品に表示せず、聞かれて添加物の使用を認める業者たち

次亜塩素酸ナトリウムは、スーパーで売られているパック寿司にも混じっていることが

あります。２００７年の夏のことでした。近くの地元スーパーで、トレイに載ったイカの握り寿司を買ってきて食べました。すると、あの嫌な味がしたのです。そこで、そのスーパーに電話すると、寿司を作った担当者が出てきて、「まな板や包丁などの消毒に次亜塩素酸ナトリウムを使っていて、それがイカについてしまったのでしょう。申し訳ありません」と言って、謝りました。

スーパーの魚売り場や食肉売り場で、プーンと鼻を突く消毒薬の臭いをかいだ経験のある人は少なくないと思います。次亜塩素酸ナトリウムで、調理器具を消毒しているからです。使った後きちんと水で洗い流さないと、刺身や寿司、食肉などに残留してしまうケースがあるのです。

それから、もう何年も前になりますが、講演で京都に出かけて、その帰りに新幹線で奈良名物の柿の葉寿司を食べた時のことでした。柿の葉寿司は味がよく、また柿の葉の殺菌力を利用して保存料を使っていないため、私は好んで食べていました。

ところが、鯛寿司を口に入れた時、あの嫌な味がしたのです。すぐに次亜塩素酸ナトリウムであることが分かりました。そこで、新幹線のなかから、製造会社に電話をしました。すると社長が出てきたので、私は自分が『買ってはいけない』の著者であることを名乗って、鯛の寿司に次亜塩素酸ナトリウムを使っていないか、問いただしました。

するど相手は、鯛の場合、仕入れた段階ですでに次亜塩素酸ナトリウムが使われていることを認めました。その後、私の所にその方から手紙が届き、今後今回のような残留が起こらないように改善を図っていく旨が書かれていました。

そのさらに数年前にも、こんなことがありました。近くのスーパーで緑と赤と白の3色の海藻セットを買いました。体によいと思って食べていたのですが、白い海藻を食べた時に嫌な味がしました。私は、表示にあった大分県の販売会社に電話をしました。すると、白い海藻に次亜塩素酸ナトリウムを使っていることを認めました。しかし、その表示はまったくありませんでした。

チェーン店居酒屋のカニにも消毒薬の臭いがプンプン

この節の冒頭で大衆居酒屋のキスの天ぷらの例を紹介しましたが、次亜塩素酸ナトリウムは、実は全国展開するようなチェーン店で使われることが多いのです。チェーン店の場合、1店舗でも食中毒を出せば、全体の責任となって、売り上げが急激にダウンする恐れがあります。場合によっては、倒産することもあるでしょう。ですから、食中毒を何としても防がねばならず、過剰防衛になっているのです。そのため、安易に次亜塩素酸ナトリウムが使われているのです。

1年ほど前、家の近くの大手居酒屋チェーンに入った時のことでした。誰もがその名を知っている居酒屋です。メニューに焼きガニがあったので頼んだのですが、出された瞬間から消毒薬の臭いがプンプン漂っていました。殺菌料の次亜塩素酸ナトリウムの臭いに間違いありませんでした。

試しにそのカニを口に入れてみると、やはり次亜塩素酸ナトリウムの味がしました。塩素っぽい、ちょっと酸っぱいような味です。私はすぐに店長にそのことを告げて、料理を下げさせました。店長は何度も謝って、もちろんお金はとりませんでした。

その店はいちおう板前はいたのですが、食材は本部のほうから決まったものが入ってくるので、そんなカニが出されてしまったのでしょう。こうしたカニなら、殺菌されているためなかなか腐らないので、長期間使うことができるわけです。また、菌の繁殖を抑えるため、食中毒を防ぐこともできます。

私の場合、次亜塩素酸ナトリウムの臭いや味が分かりますから店長に申し出ましたが、おそらく分からない人はそのまま食べてしまうでしょう。それを食べて胃などが多少荒れたとしても、病原菌による食中毒のように、すぐに明らかな症状が出るわけではありません。それなら営業停止になってしまう食中毒を徹底して防ごうということで、殺菌料が使われるのだと思います。

回転寿司で乱用される次亜塩素酸ナトリウム

キスの天ぷらやカニのほかにも、カレイの煮つけなども消毒薬臭いことがあります。また、お寿司のエビなどもそうです。これらは、料理店が仕入れる前から、次亜塩素酸ナトリウムで殺菌処理が行なわれているのです。

以前、家の近くの寿司店に入った時のことでした。握りのセットを頼んで、けっこうおいしく食べていたのですが、ゆでた車エビの握りを食べた時、またあの消毒薬っぽい、嫌な味がしました。おそらく寿司店が仕入れる前の段階で、エビに次亜塩素酸ナトリウムが使われていたのだと思います。ちなみに、知り合いの女性が子どもと、同じ寿司店でエビの握りを食べたところ、子どもが「プールの消毒薬の臭いがする」と言って、食べなかったそうです。この店は個人が経営していますが、板前の意識が低いと、こうした食材を平気で仕入れて出してしまうのです。

回転寿司のお店でも、密かに次亜塩素酸ナトリウムが使われています。東京都新宿区にある回転寿司店に入った時のことでした。そこは高級ネタをウリにしていて、あわびが好きな私は、さっそくあわびの握りが2つ載った皿を取って、一つを口のなかに放り込みました。すると、消毒薬の味がしたのです。

すぐに私はトイレに駆け込み、それを吐き出しました。近くに座っていた客や寿司を握っていた人は何事かと驚いた顔をしていましたが、仕方がありません。私はトイレから出てきて、すぐに勘定を済ませると、その店を出ました。

そのあわびにも次亜塩素酸ナトリウムが使われていたのです。一般に食品添加物は生鮮物には使えないことになっていますが、あわびを味つけして袋に入れれば加工品になりますから使えることになります。保存の目的で添加されていたのでしょう。回転寿司店に納入される前の段階で、すでにあわびに添加されていたのだと思います。

前述のように次亜塩素酸ナトリウムの場合、それを食品に使っても、残留しないという理由で表示が免除されています。それをいいことに加工業者は安易に次亜塩素酸ナトリウムを使っていて、店側もそれを平気でお客に出しているようです。しかし、実際には食品に残留していて、消費者は知らない間にそれを食べてしまっているのです。

東京駅のなかの回転寿司店でも似たような経験をしました。マグロの握りが2つ載った皿を取って、一つを食べた時、やはり次亜塩素酸ナトリウムの味がしました。マグロはその場で切られていたので、この場合は、おそらくまな板の消毒に使った次亜塩素酸ナトリウムが残留していたのだと思います。

回転寿司店の場合、大量のお寿司を作って販売しています。それだけ食中毒を起こすリスクも高いわけで、どうしても過剰防衛になって、消毒に次亜塩素酸ナトリウムがたくさん使われてしまうのだと思います。

もちろん次亜塩素酸ナトリウムを使っていない回転寿司店もあると思います。また、使っていても水できれいに洗い流している店もあると思います。そうすれば、次亜塩素酸ナトリウムは残留せず、嫌な臭いや味はしないのですが……。

スペイン料理店の魚介類にも添加物臭がプンプン

次亜塩素酸ナトリウムは、レストランでも密かに使われています。東京都荒川区にあるスペイン料理の店に、ある出版社の女性編集者と入った時のことでした。彼女はその店に何度か来ているらしく、いくつか料理を注文して、最後に代表的なスペイン料理であるパエリアを注文しました。

注文した料理が次々に出てきて、そして、大きな皿に盛られた黄色いパエリアがテーブルの上にドンと置かれました。ところが、その臭いをかいで驚きました。次亜塩素酸ナトリウムの臭いがプンプン漂っていたのです。

パエリアはご存じのようにエビやイカ、ムール貝などを使った混ぜご飯ですが、これらの食材は最も傷みやすく、食中毒を起こしやすいものです。そのため、どうやら次亜塩素酸ナトリウムの液に漬けてあったようです。そこで、私は、「これはちょっと臭いですよ。食べるのはやめたほうがいいと思います」と言いましたが、女性編集者はここのパエリアを何度も食べているらしく、「そうですか？　いつもこんなものですよ」と一人で全部パクパク食べてしまいました。

これには驚いたのですが、この例でも分かるように、意識していないと、次亜塩素酸ナトリウムが残っていても分からないのです。おそらく同じように知らずに食べている人も少なくないでしょう。そういう人は、自分でも気づかないうちに胃が荒れていると考えられます。

このほか、家の近くの割と高級なレストランで食事をした際にも、エビ料理を口にした時、やはりあの嫌な味がしました。多分仕入れた食材にすでに次亜塩素酸ナトリウムが使われていたのだと思います。また、ラーメンの上に載っているメンマに次亜塩素酸ナトリウムが残っていたこともありました。これは、東京都内の何店かでありました。メンマはほとんど中国から塩漬けになったものが輸入されていますが、さらに保存性を高めるために次亜塩素酸ナトリウムが使われているようです。

居酒屋や天ぷら店、寿司店、レストランなどで出された料理がプールの消毒薬のような臭いがしたり、薬っぽい味がした場合は、次亜塩素酸ナトリウムが残留している可能性が高いので、食べるのはやめたほうがよいでしょう。

なお、居酒屋や寿司店などで安心して料理を食べるためには、しっかりした板前のいる個人経営のお店をお勧めします。そうした店は、板前自らが市場に出かけて、新鮮でよい食材を仕入れ、調理して出してくれるからです。次亜塩素酸ナトリウムによる消毒のこともたいてい知っていて、そうした食材は仕入れないようにしています。ただし、個人経営でも、私の家の近くの寿司店のように意識が低い板前だと、次亜塩素酸ナトリウムが使われた食材を平気で仕入れて出してしまいますので、注意しなければなりませんが……。

カット野菜、野菜サラダも注意！

次亜塩素酸ナトリウムは、コンビニやスーパーなどで売られているカット野菜や野菜サラダにも使われています。それらは袋や透明のカップに入れて売られていますが、通常その前に次亜塩素酸ナトリウムを溶かしたプールに浸して消毒されているのです。葉などに付着した細菌を殺して日持ちをよくし、食中毒の発生を防ぐためです。また、野菜をシャキッとさせる効果もあるようです。

野菜を消毒する際には、もちろん次亜塩素酸ナトリウムの原液を使うのではなく、水に薄めて使いますが、食品工場で野菜を洗浄している人が、目に刺激を感じて、その職場で働けなくなったという話を聞いたことがあります。それほど次亜塩素酸ナトリウムは刺激性があるのです。前述のように次亜塩素酸ナトリウムを常用する洗濯業者に皮膚炎が見られたという報告もあります。

通常は野菜を消毒した後、水で洗い流すはずですが、洗い方が不十分であれば、次亜塩素酸ナトリウムが残留してしまうことになります。そうした野菜を食べれば、次亜塩素酸ナトリウムも一緒に摂取することになり、食道や胃の粘膜を刺激して荒らすことにもなるでしょう。もしカット野菜やサラダを口にして、消毒薬のような嫌な味を感じたら、食べるのはやめたほうがよいでしょう。

第8節　毒性が強く、頭痛を起こす酸化防止剤の亜硫酸塩

ワインを飲むと頭痛がするのはなぜか

「ワイン好き」という人は多いと思います。しかし、「ワインを飲むと、頭痛がする」という人もいます。こういう人は、私の周辺だけでも何人かいます。それは、ワインに添加された酸化防止剤の亜硫酸塩が原因と考えられます。なぜなら、そんな人でも無添加ワインを飲むと、頭痛を感じることはないからです。

頭痛がするという人は、一種の化学物質過敏症と考えられます。つまり、亜硫酸塩に体が敏感に反応して、結果的に頭痛という症状が起こるということです。

化学物質過敏症とは、微量の化学物質を摂取した際に起こる症状です。それは、化学物質に対する体の「拒否反応」と考えられます。人間の体には自己防衛システムが備わっていて、有害な化学物質を摂取した時には、嘔吐《おうと》や下痢などによって、それをすぐさま体内

から排除するような仕組みがあります。ところが、有害化学物質がごくごく微量の時は、それらのシステムがなかなか機能しないらしく、排除されずに消化管から吸収されてしまいます。そして、それが臓器や組織、神経などの細胞を刺激して、さまざまな症状が現れると考えられます。

ただし、化学物質に対する感度は人によって違いがあるようで、同じ微量の化学物質を摂取した場合でも、症状が現れる人と現れない人がいます。

化学物質過敏症というと、一般には目の刺激感や疲れ、のどの痛み、ぜんそく、胸痛などシックハウス症候群に見られる症状がよく知られていますが、ほかにも、めまい、動悸《どうき》、不眠、頭痛など、神経的な症状も知られています。

結局、これらの症状が現れるということは、その人にとって、摂取した微量の化学物質がよからぬ作用をしているということです。そして、その症状はそのことを知らせているという意味で、化学物質に対する「拒否反応」、あるいは「警告反応」と解釈することができるのです。

ですから、ワインを飲んで頭痛がするという人は、それに含まれる亜硫酸塩に対して、体が拒否反応を示していると考えられるのです。

ワインに使用される二酸化硫黄は有毒ガス

市販されているワインの瓶には、たいてい「酸化防止剤（亜硫酸塩）」という表示があります。とくに輸入ワインの場合、ほぼ100％こうした表示があります。ご承知のようにワインはブドウを酵母で発酵させることによって造られます。その本場はフランス、イタリア、ドイツなどですが、ヨーロッパでは以前からワイン造りには亜硫酸塩が使われてきました。酵母が増えて発酵が進みすぎるのを抑えたり、雑菌を消毒するためです。また、ワインが酸化して変質するのを防ぐ目的でも使われています。そのため「酸化防止剤」と表示されているのです。

しかし、亜硫酸塩は毒性が強いのです。亜硫酸塩にはいくつか種類がありますが、ワインに一番よく使われているのは、二酸化硫黄《にさんかいおう》です。これの気体は亜硫酸ガスといいます。「それ、どこかで聞いたことがある」という人もいると思います。実は火山ガスや工場排煙などに含まれている有毒ガスです。三宅島の雄山が噴火して、一時島民全員が島から避難しましたが、その後、島民はなかなか島に帰れませんでした。それは、空気中の二酸化硫黄の濃度が高かったからなのです。それほど毒性が強いのです。有毒だからこそ、ワイン中の酵母や雑菌の増殖を抑えることができるのです。

そんな有毒物質ですから、微量でもワインに含まれていれば、化学物質に敏感な人は頭痛を起こすのだと思います。つまり、頭痛は「もう飲まないようにしてくれ」という体からの訴えだと考えられます。

二酸化硫黄を０・０１％および０・０４５％含む２種類の赤ワインと、０・０４５％含む水をラットに長期にわたって飲ませた実験では、肝臓の組織呼吸の抑制が認められました。また、ビタミンB_1の欠乏を引き起こして、成長を悪くすることも認められています。

こうした毒性があるため、厚生労働省では、ワイン中の二酸化硫黄の量を０・０３５％以下に規制しています。しかし、この実験の「０・０１％」よりもむしろ高濃度なのです。

したがって、人間が市販のワインを飲み続けた場合も、同様な影響が現れる可能性があるのです。

無添加ワインをどうぞ

ワインを飲むと頭痛がするという人には、無添加ワインをお勧めしたいと思います。現在、コンビニやスーパーなどには、値段が安い無添加ワインが売られているので、容易に手に入れることができます。たとえば、メルシャンの「おいしい酸化防止剤無添加ワイン

（赤／白）」は、コンビニで売られていて、1本（720㎖）が546円とリーズナブルです。サントリー酒類の「酸化防止剤無添加のおいしいワイン。（赤／白）」はさらに安く、1本（720㎖）が398円です。

どちらの製品も輸入ブドウ果汁を使っているため、こんなに安い値段になっているようです。味はどうかというと、これは好みなので何とも言えませんが、私はさっぱりしていてなかなかおいしいと思っています。何よりものどからスーッと入っていく感覚が好きです。亜硫酸塩が含まれるワインは、どこか不自然な味がして、飲むのに抵抗を感じますが、無添加ワインはそういうことがありません。

なかには、「ブドウに使われている農薬が気になって」という人もいると思いますが、そんな人には無添加の有機ワインをお勧めしたいと思います。たとえば、サントネージュワインの「酸化防止剤無添加　有機ワイン」がスーパーなどで売られています。有機栽培されたブドウの果汁を使っているので、ブドウに農薬は使われていません。また、酸化防止剤の亜硫酸塩も添加されていません。

値段は、1本（720㎖）698円ですから、それほど高いというわけではありません。ちなみに、有機の認証は、日本の農水省の登録認定機関が行なっています。なお、有機ワインと表示された製品でも、酸化防止剤が使われているものもあるので、注意してください。

甘納豆や干しあんずに漂白剤として使われる亜硫酸塩

亜硫酸塩は、酸化防止剤のほかに、漂白剤としても使われています。漂白剤は、その名の通り食べ物を漂白するための添加物です。見た目をよくするためのもので、本来は必要ないのですが、業者の要望があって使用が認められています。亜硫酸塩の場合、むしろこちらの目的で使われるほうが一般的です。

亜硫酸塩は、二酸化硫黄のほか、亜硫酸Na、次亜硫酸Na、ピロ亜硫酸Na、ピロ亜硫酸Kがあります。これらは、どれが使われていても、「亜硫酸塩」という表示でよいことになっています。ただし、メーカーの判断で、「次亜硫酸Na」などの具体名が表示されることもあります。ちなみに、次亜硫酸Naは、甘納豆の漂白によく使われています。

亜硫酸塩は、いずれも反応性が高いため、色素に作用して壊すことによって、漂白します。それだけ人間の細胞にも作用しやすいので、害をもたらしやすいのです。亜硫酸Naは、二酸化硫黄を原料に化学合成されていますが、ウサギに対して、体重1kgあたり、二酸化硫黄として0・6〜0・7gを経口投与すると、その半数が死んでしまいます。人間の場合、4gを飲むと中毒症状が現れて、5・8gでは胃腸に激しい刺激があります。

その他の亜硫酸塩も、動物実験の結果から、ビタミンB_1の欠乏を引き起こして、成長を悪くする恐れがあります。さらに、水に溶けると亜硫酸ができて、それが胃の粘膜を刺激します。干しあんずには二酸化硫黄が漂白剤としてよく使われていて、私は何度かうっかり食べてしまったことがあるのですが、胃がシクシクした経験があります。おそらく二酸化硫黄が水に溶けて亜硫酸となって、胃の粘膜を刺激したのだと思います。

ドライフルーツやコンビニ弁当にも使用

最近、亜硫酸塩は、ドライフルーツの漂白剤としてよく使われています。コンビニや駅の売店には、レトルトパックに入ったドライフルーツが売られています。パイナップル、マンゴー、ピーチなどいろいろな種類がありますが、果物を乾燥させただけでは色が悪くなってしまうので、亜硫酸塩を使って、きれいな色にしているのです。

ドライフルーツは、手軽に果物が食べられるということで人気があるようです。

しかし、胃の敏感な人は、注意したほうがよいでしょう。

このほか、亜硫酸塩は、かんぴょうやれんこん、栗、あんぽ柿などの漂白にも使われています。使われている場合、「漂白剤（亜硫酸塩）」、あるいは「漂白剤（二酸化硫黄）」「漂白剤（亜硫酸Na）」などと表示されています。

また、「酸化防止剤（亜硫酸塩）」と表示されるケースもあります。それらの表示がある製品は買わないほうが無難です。

また、お弁当に亜硫酸塩が使われているケースもあります。たとえば、あるコンビニのビーフカレーライスには、酸化防止剤としてですが、ビタミンEとともに亜硫酸塩が使われています。

なお、セブン&アイプレミアムの「DRIED FRUITS マンゴー」など漂白剤が使われていないドライフルーツも売られています。漂白されていないので、見た目は少し悪いですが、こちらのほうが安心して食べることができます。

ちなみに、人気のある「甘栗むいちゃいました」（クラシエフーズ）にも漂白剤は使われていませんので、ご安心ください。原材料の栗は、有機栽培されたものが使われています。

第9節 ヒトに白血病を起こす化学物質に変化！合成保存料の安息香酸Na

栄養ドリンクに使われる、毒性の強い保存料とは

元気を出したい時や疲れた時、風邪気味の時などに、栄養ドリンクを「グビッ」と飲んでいる人も多いと思います。種類はいろいろありますが、いくつかの栄養ドリンクには合成保存料の安息香酸Naが使われています。また、清涼飲料にも、それが使われているケースがあります。いずれも糖分やその他の栄養成分が腐敗するのを防ぐことを目的としています。

安息香酸Naは、細菌、カビ、酵母などいろいろな微生物の繁殖を抑える力があります。水によく溶けるので、水分の多い製品に使われます。ただし、アルカリ性になると、その力が弱まってしまうため、酸性の食品に使われています。

安息香酸Naは毒性が強く、2％および5％含むえさでラットを4週間飼育した実験では、5％投与群ですべてが過敏状態、尿失禁、けいれんなどを起こして死亡しました。

清涼飲料の場合、安息香酸Naの添加できる量は、原料1kgあたり0・6g（安息香酸と

して）です。したがって、製品に含まれる量は最大で0・06％ですが、安息香酸Naは、動物実験でも分かるように毒性が強いので、胃や腸などの細胞に影響がないのか懸念されます。

絶倫系飲料に入っている安息香酸Naが発がん性物質に変化

さらに安息香酸Naは、ビタミンCと反応して、人間に白血病を起こすことが明らかになっているベンゼンに変化するという問題があります。実際に2006年3月にイギリスで、安息香酸（安息香酸Naは、安息香酸にNa＝ナトリウムを結合させたもので類似物質）とビタミンCが添加された飲料からベンゼンが検出されたため、製品を回収するという騒ぎが起こりました。

これがきっかけとなり、日本の清涼飲料もベンゼンを含んでいるのではないかということが問題になりました。そして、消費者団体の日本消費者連盟が市販の飲料を調べたところ、ある清涼飲料からは1ℓあたり1・7μg（μは100万分の1）のベンゼンが検出され、ある絶倫系飲料からは同7・4μgが検出されました。添加されていた安息香酸Naが変化したものと考えられます。

実は安息香酸Naとベンゼンは、化学構造が似ているのです。ベンゼン（化学でいうところのいわゆる亀の甲）に－COONaが結びついたのが、安息香酸Naなのです。ですから、何かが安息香酸Naに作用して、－COONaが取れてしまえば、ベンゼンになってしまうのです。ベンゼンは、安定性がよくてなかなか壊れません。そのため、体内に入ると異物となってグルグルめぐり、とくに造血器官である骨髄に悪影響をもたらし、白血病を引き起こすと考えられます。

ベンゼンが人間に白血病を起こすことが分かったのは、20世紀前半のことです。靴製造の盛んだったイタリアでは、それに従事する人の間で白血病が多く発生していました。その原因として疑われたのが、にかわの溶剤として使われていたベンゼンでした。すでにベンゼンが骨髄に作用して貧血を起こすことは、19世紀末頃には知られていました。

そして1928年、フランスの研究者が、ベンゼンによると思われる最初の白血病の報告を行ないました。その後、イタリアでは白血病の患者が多く発生し、その割合は諸外国に比べて数倍も高いものでした。靴工場では、にかわを扱う職場の空気中に含まれるベンゼンの濃度が200～500ppmと高く、そこで働く人々が白血病になる確率は、通常の人の20倍も高かったといいます。

健康のために飲む栄養ドリンクに発がん疑惑物質が!?

そのため、イタリアでは1963年以降、にかわやインクにベンゼンを使用することが禁止されたのです。なお、WHO（世界保健機関）のIARC（国際がん研究機関）は、ベンゼンをグループ1の発がん性物質、すなわち「ヒトに対する発がん性が認められる」化学物質として指定しています。IARCがヒトに明らかにがんを起こす化学物質として指定しているものはそれほど多くありませんが、そこにベンゼンが入っているということなのです。

ところで、なぜベンゼンががんを起こすのでしょうか？

それは、DNAの塩基に似ているためと考えられます。前にカラメル色素に含まれる発がん性物質の4－メチルイミダゾールが塩基に似ているため、それに作用して異常を起こし、がん化につながるのではないかと書きました。ベンゼンもやはり塩基に似ているため、骨髄の細胞に入り込んでDNAの構造を変えてしまい、その結果、細胞の突然変異が起こり、がん化につながるのではないかと考えられます。

ということは、安息香酸Na自体にも発がん性の可能性があると考えられるのです。前述のように安息香酸Naは、ベンゼンに－COONaが結合したものであり、基本的な化学構造はベンゼンと変わりません。したがって、DNAの塩基に作用して、突然変異を起こす可能性は否定できないのです。

こうした添加物が、子どもがよく飲んでいる清涼飲料に使われているのは、ひじょうに問題だと思います。また、大人の場合も、栄養ドリンクを飲むことで安息香酸Naを摂取し続けるのは、好ましいことではないでしょう。

第10節　発がん性の疑いの晴れない合成甘味料・サッカリンNa

使用が解禁された発がん性物質とは

最後に避けるべき添加物としてあげたいのは、合成甘味料のサッカリンNaです。これには発がん性の疑いがあるからです。実は、サッカリンNaは1973年4月に発がん性があるという理由で、いったん使用が禁止されたことがあるのです。

サッカリンNaに発がん性があるという情報はアメリカからもたらされました。サッカリンNaを5％含むえさをラットに2年間食べさせた実験で、子宮がんや膀胱がんの発生が認められたというのです。そこで旧・厚生省は、使用を禁止する措置をとりました。

ところが、その後、実験に使われていたサッカリンNaには、不純物が含まれていて、それががんを発生させたという説が有力になりました。そのため、同じ年の12月、使用禁止が解かれて、再び使えるようになったのです。そして、今も使われているのです。

１９８０年に発表されたカナダの実験では、サッカリンNaを５％含むえさをラットに２世代にわたって食べさせたところ、２代目のオス45匹中８匹に膀胱がんが発生しました。しかし、さらにその後、サッカリンNaに発がん性がないことを示す実験結果が発表されたりして、いまだに使用が認められています。

サッカリンNaは、ベンゼンに二酸化硫黄（SO_2）が結合し、さらに窒素（N）や酸素（O）、そしてナトリウム（Na）が結合したもので、その化学構造を見る限り、ベンゼンよりも毒性が強そうなのです。それが今でも添加物として認められ、使われているのですから、何とも恐ろしい感じがします。

握り寿司のほか、歯磨き剤に使われるサッカリンNa

現在、サッカリンNaが添加された食品はそれほどありません。

ただし、スーパーで売られている握り寿司に使われているケースがあります。添えられているショウガの漬け物に添加されているようです。また、酢ダコにも使われています。なお、サッカリンは水に溶けにくいため、あまり使われず、通常「サッカリン」といえば、サッカリンNaのことです。サッカリンにNaが結合したものです。

さらに問題なのは、歯磨き剤にも使われていることです。サッカリンNaを配合した歯磨き剤はとても多いのです。歯磨き剤は食品と違って、胃のなかに入れるものではありませんが、水で口をすすいでもサッカリンNaなどの成分が微量残って、徐々に胃のなかに入っていくと考えられます。そして、腸から吸収されます。

サッカリンNa入りの歯磨き剤を使って歯を磨くということは、それを毎日口に入れるということです。胃に到達するサッカリンNaはごく微量でしょうが、前にも書いたように発がん性物質には「しきい値」がありません。

したがって、サッカリンNaに間違いなく発がん性があるとすると、微量であっても毎日胃の細胞に作用した場合、あるいは腸から吸収されてそれがほかの細胞に作用した場合、がんになる確率は高まると考えられます。ですからサッカリンNa入りの歯磨き剤の使用はやめたほうが賢明といえます。

歯磨き剤を使わなくても歯は磨ける

そもそも歯磨き剤は必要ないのです。テレビＣＭの影響によって、歯磨き剤を使うことが当たり前のようになっていますが、それは間違いなのです。単に歯ブラシで歯をよくブラッシングすればよいのです。歯のブラッシングをきちんと指導している歯科医院では、歯磨き剤を使わずに、歯ブラシだけで指導しています。なぜなら、使わないほうが、虫歯や歯周病の原因となる歯垢《しこう》（プラーク）をきれいに落とすことができるからです。

歯垢とは、食べかすや細菌、細菌の代謝産物からなるもので、口内トラブルの元凶です。歯垢は歯の表面や歯と歯茎の間に付着し、それに含まれる細菌が食べかすを栄養にして毒素や酸を出します。それが原因で歯周病や虫歯が発生するのです。歯周病は、歯茎に炎症が起こるばかりでなく、進行すると歯を支えている歯槽骨《しそうこつ》が溶けて歯が抜けてしまう怖い病気です。それを防ぐためには、いかに歯垢を取り除くかが最も重要なのです。

ところが、歯磨き剤を使うと、それに含まれる合成界面活性剤《ごうせいかいめんかっせいざい》や防腐剤、酸化防止剤などの刺激によって、長い時間ブラッシングすることが困難です。また、「歯磨き剤を飲み込んではいけない」という心理が働くので、どうしても磨く時間が短くなってしまいます。

すると歯垢が十分除去されずに残ってしまい、歯周病になりやすくなるのです。

刺激の少ない石けん歯磨き剤がお勧め

歯磨きの際には、歯磨き剤を使わないようにしてください。歯ブラシで十分にブラッシングをして、歯垢をきれいに落とすようにすれば、歯周病は防ぐことができます。

ちなみに私の場合、25歳の時に歯磨き剤を使わないブラッシングの指導を受けて、その後ずっとそれを実践しているため、一度も歯周病になったことはなく、今でもきれいな歯茎を保つことができています。先日、歯科医院に行ったところ、「20代の歯茎をしている」と言われました。

ただし、歯磨き剤を使わないと「口のなかがサッパリしない」という人もいるでしょう。また、多少歯が汚れてくる人もいると思います。そんな人には石けん歯磨き剤をお勧めします。

たとえば、シャボン玉石けんの「シャボン玉 せっけんハミガキ」。合成界面活性剤や防腐剤を使っていないため、歯茎や舌に対する刺激がありません。成分は石けん素地のほか、炭酸Ca（カルシウム）やペパーミント、ソルビトール（糖アルコールの一種）などで、安全性の高い原材料が使われています。

刺激が少ないため、長時間ブラッシングをすることができ、歯垢をきれいに落とすことができます。

私の場合、いつもは歯磨き剤を一切使わずにブラッシングをしていますが、多少歯が黒ずんでしまうことがあります。そんな時には石けん歯磨き剤を使っています。しばらく使うと、歯が白くなってきます。

みなさんも、ぜひ一度試してみてください。

第2章 これだけは知っておきたい！添加物の基礎知識と表示の見方

添加物は食べ物ではない！

現在、コンビニやスーパー、ドラッグストア、駅売店、自販機、その他のお店で売られている加工食品のほとんどに、何らかの食品添加物が使われています。しかし、添加物は、食品ではありません。食品は、炭水化物やたんぱく質、脂肪、ビタミン、ミネラルなどの栄養素を含んでいて、私たちの体を育《はぐく》むものです。しかし、添加物は食品を製造したり、保存するために使われるもので、業者にとって都合のよいものですが、消費者にはほとんどメリットはないのです。

添加物は、「食品の製造の過程において又は食品の加工若《も》しくは保存の目的で、食品に添加、混和《こんわ》、浸潤《しんじゅん》その他の方法によって使用する物」（食品衛生法第４条）と定義されています。つまり、食品を加工する際に添加するものであって、小麦や米、塩、砂糖などの食品原料とは、明らかに別物ということなのです。ちなみに、食品衛生法は、１９４７年に定められた法律で、食品行政の要《かなめ》になっているものです。

今、市販されている食品の多くは機械によって大量生産され、それがトラックなどで店舗に運ばれています。そして、しばらく陳列されてから消費者の口に入ることになります。

それらを効率よく行なうためには、食品を加工しやすくしたり、色や臭いをつけたり、保存性を高めるなどの働きのある添加物が必要になってくるのです。

また、生産コストを下げるためにも添加物が必要です。たとえば、ジュースを製造する場合、果汁をたくさん使うよりも、少なくしてその分、酸味料や香料、着色料などで味や臭い、色をつけたほうがはるかに安く製造できます。生産コストを下げられれば、当然ながら儲《もう》けが多くなります。その儲けでテレビCMを流して、売り上げを伸ばすこともできるのです。

本来食品は、米や小麦、大豆、とうもろこし、砂糖、塩などといった食品原料から作られるべきです。これらは栄養となるものであり、安全性も確認されているからです。しかし、実際には栄養にならず、安全性も十分確認されていない添加物が無節操に使われ続けており、その使用はますます増えそうな勢いです。なかには、添加物だけの食品もありますす(これをはたして食品といえるのか疑問ですが……)。

添加物を規制するはずの厚生労働省は、業者寄りのため、業者の要望によって添加物を次々に認可しています。そのため、その数は増え、加工食品のほとんどに添加物が使われるという状況が生まれてしまっているのです。

添加物はどのように規制されてきたのか

米や小麦、野菜、海藻、果物、塩、しょうゆ、みそなどの食品は、大昔から人間が食べ続けてきたもので、その長い食の歴史によって安全性が確かめられていることは誰もが認めるところです。

ところが、添加物はそうではありません。日本で添加物が使われるようになったのは、明治になってからなのです。清酒に防腐剤として添加されたサリチル酸が最初とされています。

その後、化学合成物質の食品への添加が増えていったため、明治政府は1880年（明治13年）に鉱物性染料などを食品の着色に使用することを取り締まる規則を公示しました。これ以降、有害・有毒な添加物のリストを公表して、その使用を禁止するという形がとられました。これをネガティブリスト方式といいます。

ネガティブリスト方式による添加物の規制は、明治から大正、昭和初期まで続けられました。しかし、化学工業が発達し、さらに多くの化学合成物質が生産され、食品に添加されるようになってくると、その方式では取り締まりが難しくなってきました。

というのも、添加された化学合成物質が危険なものと分かるまでには時間がかかるので、その食品が市場に相当数出回ってしまうからです。そのため危険な添加物による被害が広がってしまう恐れがあります。それを如実に示す事件が、第二次世界大戦後の混乱期に発生しました。

戦後の荒廃した社会で苦しい生活を送っていた人々のなかには、その苦痛を酒によって紛らわそうとする人たちがいました。が、十分な量があるはずもなく、悪徳業者は工業用のメチルアルコールを酒に混ぜて販売したのです。ご存じの方もいると思いますが、メチルアルコールは劇物で、10～20ml摂取すると失明し、80～１２０mlで死亡してしまいます。そのため飲酒による失明者が続出し、社会問題となりました。そこで政府は、「有毒飲食物等取締令」を公布して、メチルアルコールを含んだ食品販売を禁止しました。

増え続ける添加物

さらに１９４７年（昭和22年）には、食品行政の基本法である「食品衛生法」を制定し、そのなかで、添加物の規制は従来とは違うポジティブリスト方式が採用されました。これは、原則として添加物の使用を禁止して、国が安全であると判断したものをリストとして公表し、それらの使用を認めるというものです。つまり、リストに載っていない添加物は使えないということです。そして、その翌年には、この方式に従って、安息香酸NaやL－グルタミン酸Na、赤色2号、赤色102号、黄色4号、黄色5号など60品目の添加物が認可（指定）されたのです。

この当時添加物として認可されていたのは、すべて化学合成添加物だけです。天然添加物は、自然界のものから抽出されたもの、すなわち合成なされず、食品として扱われていました。そのため、とくに規制はなされず、野放し状態だったのです。それが規制されるようになったのは、後で述べますが、1995年からのことです。

1948年に最初の添加物が認可されてから、その数は年々増えていきました。そして、日本は高度経済成長期に入り、食品も大量生産・大量消費の時代となり、添加物の数はどんどん増えていき、1969年には356品目にも達しました。ところが、その年に添加物の安全性を揺るがす事件が起こったのです。

この頃、添加物は国が安全性のお墨つきを与えたものということで、多くの国民はその安全性に疑いを持ちませんでした。原発の「安全神話」ならぬ、添加物の安全神話がまかり通っていたのです。

ところが、それを揺るがす情報がアメリカからもたらされました。同国で行なわれた動物実験によって、合成甘味料のチクロ（サイクラミン酸カルシウムおよびサイクラミン酸ナトリウム）に発がん性と催奇形性の疑いが強いことが分かったのです。そのため、同国ではチクロの使用が禁止されました。

安全神話の崩壊

当時日本では、チクロが粉末ジュースやアイスクリームなどによく使われていました。そこで、当時の厚生省はアメリカにならって、チクロを1969年にポジティブリストから削除し、使用を禁止しました。私はこの時中学生でしたが、それまで飲んでいた粉末ジュースが急に飲めなくなったことに、不満と理不尽を感じたものです。おそらく同様に感じた人も多かったでしょう。

このチクロ禁止は社会的事件となり、ここに添加物の安全神話は崩れ始めたのです。こうした事件を受けて1972年には、「食品添加物の使用を制限する国会決議」が行なわれました。

さらに添加物の安全神話を完全に崩壊させるような事件が、その2年後に発生しました。

殺菌料のＡＦ－２に発がん性が確認されたのです。当時ＡＦ－２は殺菌料として、豆腐や魚肉ソーセージなどに使われていました。その殺菌力はひじょうに強く、魚肉ソーセージは常温でも何年も腐ることがありませんでした。

ＡＦ－２が強い殺菌力を示すのは、細菌の遺伝子に異常を引き起こすからでした。そのため、細菌は増殖することができず、食品は腐ることがないというわけです。

しかし、これは両刃の剣でした。つまり、人間の細胞の遺伝子にも異常を引き起こす可能性があったのです。

この問題に気づいたある研究者が、ＡＦ－２を人間の細胞に作用させる実験を行ない、染色体にどのような影響が出るかを観察しました。その結果、切断された染色体がたくさん見つかりました。そのことに研究者はひじょうに驚いたといいます。なぜなら、これほど激しい染色体異常を引き起こす物質は、発がん性物質でも珍しく、実験室で危険物とされている薬品と同程度だったからです。そんな化学物質が食品に混ぜられていたことに驚かされたのです。

その後、厚生省の研究機関である国立衛生試験所（現・国立医薬品食品衛生研究所）において、マウスを使って実験が行なわれ、ＡＦ－２に発がん性のあることが確認されました。そして、１９７４年に食品への使用が禁止されたのです。

この2つの事件によって、添加物の安全神話は崩壊しました。その後、添加物の新たな認可はほとんど行なわれなくなりました。これはその後9年間続きました。

アメリカの要望に従い、今も添加物を認め続ける厚生労働省

ところが、１９８３年にその方針が破られます。この年に一挙に11品目もの添加物が認可されたのです。実はそのなかに、現在清涼飲料やガム、あめなどによく使われている合成甘味料のアスパルテームがあったのです。

これら11品目の認可を迫ってきたのは、アメリカの政府や企業でした。というのも、添加物が非関税障壁になっていたからです。

つまり、アメリカで認められている添加物でも、日本で認められていない場合、それを使用した食品をアメリカは日本に輸出することができません。そこで、アメリカ側はそれらの添加物の認可を要求してきたのです。

そして、厚生省はそれを受け入れ、11品目を一挙に認可するという、従来の方針を転換するようなことが行なわれたのです。

これが一つのきっかけとなって、添加物の国際平準化が進行することになりました。現在もこの国際平準化は行なわれていて、とくに2002年からこの傾向は顕著になっています。

この年、厚生労働省は、経済のグローバル化にともなって盛んになっている食品の輸入がスムーズに行なわれるように、国際平準化を積極的に進めていく方針を打ち出しました。アメリカやEU諸国などで使用が広く認められている添加物について、日本でも認可していこうというのです。

具体的には、それに該当する46品目の添加物がリストアップされ、それらを毎年認可していこうというものでした。

これは現在も続いており、46品目のうちすでに大半が認可されました。そして、2013年2月現在で認可された合成添加物は全部で431品目となっています。おそらく今後も添加物の増加傾向は続くことになるでしょう。なお、天然添加物は、365品目が認められています。これは、植物や海藻、昆虫、細菌、鉱物などから特定の成分を抽出したものので、色素や粘性物質がよく使われています。こちらの品目数は減少傾向にあり、今後もその傾向は続くものと見られます。

一般飲食物添加物と天然香料

なお、添加物とは、合成添加物と天然添加物のことなのですが、ほかに少し意味合いの違う添加物があります。「一般飲食物添加物」と「天然香料」です。

一般飲食物添加物は、ふだん私たちが食べている食品をそのまま、あるいは成分を抽出して、添加物の目的で使うもので、約70品目がリストアップされています。よく使われているのは、赤キャベツ色素（赤キャベツまたは紫キャベツより抽出された色素）やパプリカ粉末などの色素類、ダイズ多糖類（大豆から得られた多糖類）、ヤルロース（海藻やサツマイモなどから得られたセルロース）などです。その由来から、いずれも安全性は高いと考えられます。

一方、天然香料は、なんと約６００品目もあります。植物から抽出されたにおい成分が多いのですが、なかには「ギシギシ」「コロンボ」「シヌス」など聞いたことがないようなものも含まれています。また「コカ（ＣＯＣＡ）」も含まれています。これは麻薬のコカインの原料となる植物です。もしかすると、コーラの香料として使われているのかもしれません。天然香料は、どんなものがいくつ使われても、「香料」と表示すればよいことになっています。

ただし、これらの添加物には、合成添加物や天然添加物と決定的な違いがあります。一般飲食物添加物と天然香料は、ポジティブリスト方式にはなっていないのです。つまり、リストに載っていないものでも使うことができるのです。厚生労働省では、いちおうリストアップしておくことが必要と考えて、リストを作ったようです。したがって、リストに載っていないものを使っても、違反にはならないのです。

添加物は原則として物質名を表示

現在、添加物の表示は、原則として物質名を書くことになっています。アスパルテームや安息香酸Naなどの具体的な名称が物質名になります。

実は以前は、これら物質名は表示されていませんでした。私が学生の頃には、スーパーで売られている食品には、「合成保存料」「合成甘味料」「合成着色料」などという表示がなされていたのみでした。つまり、物質名ではなく、用途名を表示すればよかったのです。

しかし、これでは何が使われているのか、消費者には分かりません。そこで、消費者団体などが物質名を表示することを義務づけるように、旧・厚生省に要求しました。そして、

１９９１年、ついに同省は重い腰を上げ、物質名表示の義務化を行なったのです。よってそれ以降、物質名が表示されるようになったのです。

なお前述のように、この当時、天然添加物は食品と見なされ、とくに規制は行なわれていませんでした。しかし、天然色素や増粘多糖類などの使用が増えるにしたがって、消費者団体は天然添加物も規制するように厚生省に要請しました。そして、１９９５年に食品衛生法が改正されて、天然添加物も合成添加物と同様に添加物として規制されることになったのです。

ところで、時々「添加物の表示は分かりにくい」という声を耳にします。おそらく原材料名欄に食品原料と添加物が一緒に書かれているからでしょう。それらを分けて書けばいいのですが、そうすると添加物をたくさん使っていることが一目で分かってしまうため、食品業界が嫌がっているのです。しかし、簡単に見分ける方法があるのです。

食品原料と添加物の見分け方

製品には、必ず「原材料名」が表示されています。これは、ＪＡＳ法によって義務づけられています。とくに添加物については、食品衛生法によって表示が義務づけられています。原材料は、まず食品原料を書き、次に添加物を書くことになっています。

上の図は、缶コーヒーの原材料名です。最初のほうに書かれているのが食品原料で、使用量の多い順に書くことになっています。この製品の場合、「牛乳」が一番多く使われているので、それが一番前に書かれています。

次に「コーヒー」「砂糖」とありますが、2番目と3番目に多く使われているということです。そんな感じで食品原料が続いて、「デキストリン」で食品原料は終わりです。デキストリンはブドウ糖がいくつも結合したもので、デンプンを分解して作られていて、食品に分類されています。

原材料名　牛乳、コーヒー、砂糖、全粉乳、デキストリン、カゼインＮａ、乳化剤、香料、酸化防止剤（ビタミンＣ）、甘味料（アセスルファムＫ）

缶コーヒーの原材料名の例

そして次の「カゼインNa」からが添加物となります。添加物のなかでは、カゼインNaが一番多く使われているので、最初に書かれています。そして多い順に、「乳化剤」「香料」「酸化防止剤（ビタミンC）」と続き「甘味料（アセスルファムK）」で終わりです。なお、カゼインNaは、牛乳に含まれるたんぱく質のカゼインにNa（ナトリウム）を結合させたもので、粘性を持たせるためなどに使われています。乳化剤は、水と油を混じりやすくする目的で使われています。

食品原料と添加物の表示の仕方は、どの製品でも基本的にはこれと同じです。つまり、まず食品原料が多い順に書かれ、それが終了したら、次に添加物が多い順に書かれるということです。したがって、どこからが添加物かを見極めることがポイントです。それさえできれば、添加物をすべて容易に知ることができます。

加工食品の場合、一般に乳化剤や加工デンプン、調味料（アミノ酸等）などが量的に一番使われることが多く、それらが書かれていたら、そこからが添加物という一つの見方ができます。あるいは牛乳や砂糖など見慣れた言葉が終了して、「○○料」や「△△剤」というあまり見慣れない言葉になったら、そこからが添加物という見方もできます。

原材料の表示を注意して見る癖をつけると、どこからが添加物なのか、しだいに分かるようになると思います。

使用目的が載っている添加物は毒性が強い

前述のように添加物は原則として、物質名を表示することになっています。１４８ページの図のなかの「カゼインNa」「ビタミンC」「アセスルファムK」が物質名です。こうした表示によって、具体的にどんな添加物が使われているのか分かるのです。

一方、「乳化剤」や「香料」、「酸化防止剤」、「甘味料」というのは、使用される目的を表した用途名です。乳化剤は前述のように水と油など混じりにくいものを混じりやすくするもの、香料は文字通り香りをつけるもの、酸化防止剤は食品成分の酸化を防ぐもの、甘味料は甘味をつけるものです。

148ページの図では、「酸化防止剤（ビタミンC）」あるいは「甘味料（アセスルファムK）」と用途名と物質名が表示されているものがあります。つまり、酸化防止剤としてビタミンCが、甘味料としてアセスルファムKが使われていることを示しています。このように両方表示することを用途名併記といいます。

厚生労働省では、一部の添加物について用途名併記を義務づけているため、このように表示されているのです。用途名併記が義務づけられている添加物は、次の用途に使われるものです。

・酸化防止剤……酸化を防止する

・甘味料……甘味をつける
・着色料……着色する
・保存料……保存性を高める
・漂白剤……漂白する
・発色剤……黒ずみを防いで、色を鮮やかに保つ
・防カビ剤……カビの発生や腐敗を防ぐ
・糊料（増粘剤、ゲル化剤、安定剤）および増粘安定剤……トロミや粘性をもたせたり、ゼリー状に固める

なお、着色料の場合、添加物名に「色」の文字がある場合、用途名を併記しなくてよいことになっています。たとえば、「カラメル色素」は、「色素」の文字があるので、用途名は併記されていません。着色料と書かなくても、使用目的が分かるからです。

それから、重要な点があります。それは、用途名併記の添加物は毒性の強いものが多いということです。厚生労働省では、消費者がどんな添加物なのか自分で判断できるように、物質名と用途名の併記を義務づけているのです。

ただし、すべて毒性が強いというわけではなく、なかには酸化防止剤の「ビタミンC」や「ビタミンE」、着色料の「β-カロチン」などのように、毒性がほとんどないものもあります。

添加物の一括名表示という姑息な抜け穴

添加物は原則として物質名が表示されることになっていて、しかも、甘味料や酸化防止剤、着色料などは用途名も併記されることになっています。ということは、表示を見ればどんな添加物が使われているのか、すべて具体的に分かるはずです。ところが、実際には違うのです。「一括名表示」という大きな抜け穴があって、大半の添加物は物質名が表示されていないのです。

一括名とは、用途名とほぼ同じです。もう一度、148ページの図を見てください。ここでは「乳化剤」と「香料」が一括名です。乳化剤には、ショ糖脂肪酸エステルやプロピレングリコール脂肪酸エステル、ポリソルベート60など合成のものが9品目ありますが、どれをいくつ使っても、「乳化剤」という表示でよいのです。また、香料も合成のものが130品目程度ありますが、どれをいくつ使っても「香料」と表示すればよいのです。これが一括名表示です。この場合、消費者には具体的にどんな添加物が使われているのか分かりません。

使用添加物を全部表示させると、スペース上、表示しきれないケースも出てくるので、このような一括名表示が認められているのです。また、具体的な名前を知られたくないという業者側の事情もあります。実は一括名表示が認められている添加物は、とても多いです。それは、次のようなものです。

・香料……香りをつける
・乳化剤……水と油などを混じりやすくする
・調味料……味つけをする
・酸味料……酸味をつける
・膨張剤……食品を膨らます
・pH調整剤……酸性度やアルカリ度を調節し、保存性を高める
・イーストフード……パンをふっくらさせる
・ガムベース……ガムの基材となる

・チューインガム軟化剤……ガムをやわらかくする
・豆腐用凝固剤……豆乳を固める
・かんすい……ラーメンの風味や色あいを出す
・苦味料……苦味をつける
・光沢剤……つやを出す
・酵素……たんぱく質からできたもので、さまざまな働きがある

以上ですが、それぞれの一括名に当てはまる添加物は、だいたい数十品目あり、香料は130品目程度もあります（ただし、天然香料は除く）。したがって、添加物の多くは、いずれかの一括名に当てはまることになり、結局のところ、多くは物質名が表示されないことになってしまうのです。

なお、一括名表示が認められている添加物の場合、多くはそれほど毒性の強いものではありません。そのため厚生労働省も、物質名ではなく一括名を認めているという面がなくはありません。しかし、最近使用が認められた乳化剤のポリソルベート類のなかには、発がん性が疑われるものがあり、また、香料のなかにも毒性の強いものがあるのも事実です。

表示免除の添加物もある

　このほか、表示免除が認められている添加物があります。つまり、添加物を使っていても、表示しなくてよいのです。それは次の3種類です。

　まず、栄養強化剤（強化剤）。これは、食品の栄養を高めるためのもので、ビタミン類、アミノ酸類、ミネラル類があります。体にとってプラスになり、安全性も高いと考えられているので、表示が免除されているのです。ただし、メーカーの判断で表示してもかまいません。

　次に、加工助剤。これは、食品を加工・製造する際に使われる添加物で、最終の食品には残らないもの、あるいは残っても微量で食品の成分には影響を与えないものです。たとえば、塩酸や硫酸などがこれにあたります。これらは、たんぱく質を分解する目的で使われていますが、水酸化ナトリウム（これも添加物の一つ）などによって中和して、食品に残らないようにしています。この場合、加工助剤と見なされ、表示が免除されます。

　もう一つは、キャリーオーバーで、原材料に含まれる添加物のことです。たとえば、せんべいの原材料は、米としょうゆですが、しょうゆのなかに保存料が含まれることがあります。この際、保存料がキャリーオーバーとなります。そのため、表示免除となり、「米、しょうゆ」という表示になります。

このほか、店頭でバラ売りされているパン、ケーキ、あめなども、添加物の表示をしなくてよいことになっています。また、弁当店などで調理して売られている弁当も同様です。つまり、容器・包装に入っていない食品は、添加物を表示しなくてもよいのです。

第3章

政府や企業は信用できない！
添加物の人体への影響は甚大

安全性を人間で調べたわけではない

「添加物は体に悪そう」と思っている人は多いでしょう。内閣府の食品安全委員会が消費者らを対象にした調査でも、添加物の安全性について「非常に不安」「ある程度不安」と答える人が、毎年5〜6割にのぼっています。

消費者の多くが添加物の安全性に不安を抱く理由の一つは、「安全性が高い」として使用が認められていた添加物が、急に「発がん性が認められた」という理由で使用禁止となった例が、過去に何度もあったからでしょう。第2章で紹介した合成甘味料のチクロや殺菌料のAF－2などがそうですし、この後で取り上げる殺菌料の過酸化水素もそうです。

さらに、認可されている添加物が、人間に対して安全なのかどうかは実際のところ分かっていない、ということも理由でしょう。厚生労働省は、使用が認められている添加物について、「安全性に問題はない」と言っています。ところが、添加物の安全性はすべてネズミなどを使った動物実験によって調べられたもので、人間では調べられていません。

添加物をえさに混ぜてネズミに食べさせたり、直接添加物を与えたりして、その影響を調べているにすぎないのです。そして、その結果から「人間に使っても大丈夫だろう」という推定に基づいて使用を認めているにすぎないのです。

しかし、ネズミなどの動物と人間とは、当然ながら違います。ネズミでは悪影響が現れなくても、体の構造が複雑でデリケートな人間では悪影響が出るかもしれません。ですから、添加物の人間に対する影響は本当は分かっておらず、今まさに私たちの体で試されている状態なのです。ですから「実験台になりたくない」と感じるのは、当然の心理だと思います。

消化できずに体中をグルグルめぐる添加物

添加物は、合成添加物と天然添加物がありますが、多くの人が不安を抱いているのは合成添加物に対してだと思います。実際にこちらのほうが危険性は高いのです。

合成添加物は、２０１３年２月現在で４３１品目が認可（指定）されていますが、それらは次の２種類に大別されます。

①　自然界にまったく存在しない化学合成物質

②　自然界に存在する成分を真似て化学合成したもの

①に該当するものは、赤色102号、黄色4号などのタール色素、防カビ剤のOPP、TBZ、合成甘味料のスクラロース、アセスルファムK、後述する酸化防止剤のBHA（ブチルヒドロキシアニソール）、BHT（ジブチルヒドロキシトルエン）などで、体で分解できないものが多く、そのため毒性を発揮することが多いのです。

一方、②に該当するのは、乳酸、クエン酸、リンゴ酸などの酸、L－グルタミン酸Na、グリシンなどのアミノ酸類、ビタミンA、B_1、B_2、C、Eなどのビタミン類、ソルビトールなどの糖アルコールなどがあります。これらは、もともと食品に含まれている成分が多いので、毒性はそれほどありません。ただし、人工的に合成された純粋な化学物質であるため、大量に摂取したり、あるいは何種類も一度に摂取すると、口内や胃、腸の粘膜を刺激して、痛みや不快な症状を起こすことがあります。

もし仮にですが、プラスチックが食品に混ぜられていたら、みなさんはどう思うでしょうか？　おそらく「食べたくない」と思うでしょう。化学的に合成されたプラスチックは、いうまでもなく食べ物ではありません。体内に入った場合、消化・吸収されず、体にとって何もプラスになることはありません。

ところが、①の自然界にまったく存在しない化学合成物質は、プラスチックと同じようなものなのです。それは体内に入っても、プラスチックと同様に代謝されません。つまり、消化・分解されることがほとんどないのです。そして、腸から吸収されて血液中に入って、体中をグルグルめぐるのです。むしろプラスチックのほうが安全といえるかもしれません。なぜならプラスチックは腸から吸収されることなく、便とともに排泄されてしまうからです。

カズノコの鮮やかな黄金色は明らかに異常

①に該当する化学合成物質は近年になって作られたものが多く、それだけ未知な部分も多いのです。そのため、人間が摂取した場合に、どのような影響をおよぼすかも未知であり、安全であるかどうかは本当のところ分かっていません。したがって、基本的にはこれらの化学合成物質を食品に混ぜるべきではないのです。

第1章で取り上げた添加物は、ほとんど①に当てはまるものです。しかも、それらは動物実験によって、発がん性や催奇形性が認められたり、それらの疑いがあったり、あるいは体内で発がん性物質に変化したり、ひじょうに強い急性毒性があったりと、どう見ても食品に混ぜるべきものではないのです。

これらを微量とはいえ、毎日摂取し続ければ、がんや臓器の機能低下などの障害が現れる可能性があります。そこで、「体を壊す10大食品添加物」としてあげたのです。これらを摂取しないように心がけることで、がんや先天性障害などの発生をかなり防げるのではないかと考えています。

このほか、10大食品添加物以外にも危険性の高いものがあります。では、それらを紹介することにしましょう。まず、正月のおせち料理に欠かせないカズノコに使われている漂白剤の過酸化水素です。

昔はカズノコといえばぜいたく品で、お正月以外はなかなか口にできませんでした。しかし今は、安い輸入物が大量に日本に入ってくるため、1年中食べられるようになりました。ただ、気になるのは、あのあまりにもきれいな色です。スーパーの魚売り場にはたいてい立派なカズノコが並んでいますが、汚れ一つない鮮やかな薄黄色、すなわち「黄金色」をした商品がほとんどです。

カズノコはスケソウダラの卵子です。それは本来薄茶色をしていて、それほどきれいには見えません。血がついていることもあります。

ところが、市販のパック入りカズノコは透明感のある「黄金色」をしています。「何か添加物が使われているのでは？」と感じる人が多いと思いますが、パックのどこを見ても添加物の表示はありません。しかし、実際には過酸化水素が使われているのです。それにはひじょうに強い漂白作用があります。だから、あのようにきれいな色をしているのです。

過酸化水素に発がん性あり

過酸化水素？　どこかで聞いた名前ではありませんか。そうです。消毒薬のオキシフルの成分です。過酸化水素は活性酸素を発生させ、それが細菌の細胞を破壊して殺すのです。活性酸素は色素も壊すので、強烈な漂白作用も持っています。それを利用して、カズノコをきれいにしているのです。しかし、実は過酸化水素には発がん性があるのです。

まだ正月気分が抜けきらない1980年1月11日、旧・厚生省は「過酸化水素に発がん性があることが分かったので、食品に可能な限り使用しないように」という通達を食品業界に出しました。同省の助成金による動物実験で、発がん性が確認されたからです。その実験とは、飲料水に0・1％および0・4％の濃度に溶かした過酸化水素をマウスに74日間飲ませたところ、十二指腸にがんが発生したというものでした。人間にも十二指腸があるので、同様な危険性があるわけです。

しかし、困ったのは食品業者でした。この頃、過酸化水素は漂白剤や殺菌料として、ゆでめんやかまぼこ、カズノコなどに使われていたからです。業界は混乱し、この通達によってこうむった損害を賠償するように、日本政府に要求した食品業者もありました。

こうした動きに厚生省はうろたえてしまい、「過酸化水素を使ってもよいが、製品に残存しないように」と、規制を後退させました。ところが、過酸化水素が残存しているかどうかを調べるのは難しく、当時はまだその技術が確立されていませんでした。結局、残存しないことを確認できないことが分かり、事実上の使用禁止となったのです。

これで一番困ったのはカズノコ業者でした。ゆでめんやかまぼこなどは、ほかの食品添加物を使うことで対応できましたが、カズノコの場合、きれいに漂白するための添加物がほかに見つからなかったのです。そこで、業界をあげて過酸化水素を取り除く研究が始まりました。

そして、翌年にはその技術が開発されました。それは、カズノコを漂白した後に残った過酸化水素を、「カタラーゼ」という酵素で分解し、取り除くという方法でした。そこで厚生省は、「最終食品の完成前に分解または除去すること」という条件の下に使用を再度、認めたのでした。

市販カズノコから発がん性物質を発見

「それなら安心！」と思っている人もいるかもしれませんね。いかに発がん性物質とはいえ、残っていなければ問題ないと考えられるからです。

しかし、本当にすべて分解されているのでしょうか？

そこで私は、市販されている製品を調べてみました。

１９９５年と少し古い話になるのですが、福音館書店発行の月刊誌「母の友」11月号にカズノコに関する記事を書いた際に、市販のカズノコを独自に調査したのです。調べたのは次の４製品です。

1　小田急百貨店（東京都新宿区）の［塩数の子］（１９９５年３月28日加工）
2　丸正食品（東京都渋谷区）の［味付け数の子］
3　ヨークマート（東京都港区）の［味付数の子］（１９９５年４月４日加工）
4　東武百貨店・船橋店（千葉県船橋市）の［塩数の子］（１９９５年４月６日加工）

購入したこれらの製品を、財団法人・日本食品分析センターに持参して、過酸化水素が残っていないか調べてもらいました。その結果、東武百貨店の「塩数の子」と、ヨークマートの「味付数の子」から、0・2ppmの過酸化水素が検出されたのでした。これは、食品衛生法に違反していることになり、製品の回収ということにもなりかねない重要な事実です。残りの2製品は、検出限界値（0・1ppm）以下でした。なお、ヨークマートの「味付数の子」は新潟県の加工業者から、東武百貨店の「塩数の子」は、北海道の加工業者から仕入れたものでした。

慌てふためいた旧・厚生省

私はすぐにこの結果を、旧・厚生省・食品化学課に報告しました。厚生省がどういう対応を示すのか、見たかったのです。通常はこうした報告があっても、お役所の反応は鈍いものです。保健所や都道府県の研究所が調査したのならともかく、一民間人が調べた結果ですから、そういう事実に対してはたいてい役人は冷淡なのです。

しかし、この時は違っていました。すぐに厚生省の担当者が日本食品分析センターに事実の確認を行ない、次に東武百貨店とヨークマートに連絡し、問題のカズノコを出荷した加工業者を聞き出したのです。さらに北海道と新潟県の食品衛生担当部局に連絡し、それらの加工業者を調査するように指示したのです。

厚生省は、もしこの事実が公表されて、カズノコに過酸化水素が残っているというニュースがテレビや新聞などに流されたら一大事と感じたのでしょう。これは過酸化水素の使用を認めていることに対して、ある種の「やましさ」を感じているからかもしれません。

しばらくして、私は厚生省の担当者に見解を求めました。すると、こんな答えが返ってきました。

「北海道では、水産物加工協同組合連合会の指導によって、加工業者が自主的に過酸化水素の残留を検査するシステムができているんです。そこで、東武百貨店から聞き出した加工業者を管轄の保健所が調べて、きちんと検査が行なわれていることや過酸化水素が検出されていなかったことを確認しています。ヨークマートのほうは、新潟県の環境衛生課に連絡し、管轄の保健所が業者に問い合わせたところ、過酸化水素は使っていないということでした。また、加工前のカズノコを調べたが、検出されなかったと聞いています」

結局、問題のカズノコに過酸化水素が残留している事実は確認できなかったということで、厚生省が販売禁止や製品回収の措置をとることはありませんでした。しかし、カズノコを調べた日本食品分析センターの技術官は、検出された0・2ppmは90％以上の確率で過酸化水素であると明言しました。

今もカズノコの漂白には、過酸化水素が使われています。塩カズノコで、やけにきれいな色をしている製品は使われている可能性があります。そして、それらには過酸化水素が残っているかもしれないのです。以前渋谷の日本料理店で、刺身や天ぷらなどの入った弁当を食べたことがあるのですが、小さなカズノコが添えられていて、私は多少不安を感じながらも食べてみました。すると、消毒薬のような変な味がしました。もしかすると、過酸化水素が残留していたのかもしれません。

「過酸化水素を使っていないカズノコを食べたい」という人には、しょうゆで味つけされた製品をお勧めします。しょうゆで茶色っぽく色づけされているため、きれいに漂白する必要がなく、過酸化水素が使われていないからです。

ただし、原料の段階で漂白されてしまっているカズノコを使用した場合は、こうした製品でも過酸化水素が使われている可能性があります。したがって、100％使っていないとはいえませんが、きれいな塩カズノコに比べれば、使っていない確率は高いといえます。

煮干しにも発がん性物質が！

発がん性が確認されたにもかかわらず、今も使用が認められている添加物はほかにもあります。それは、酸化防止剤のＢＨＡです。これは煮干しなどに使われています。

ＢＨＡに発がん性があることが分かったのは、30年ほど前のことです。名古屋市立大学の研究グループが、ＢＨＡを０・５％および２・０％含むえさと、それをまったく含まないえさをラットに与えて、２年間飼育しました。その結果、２・０％含むえさを与えたラットの前胃にがんが発生しました。

この結果を受けて、当時の厚生省は、ＢＨＡを使用禁止にする措置をとりました。ところが、思わぬところからクレームがきました。アメリカやヨーロッパの国々の政府です。それらの国では、ＢＨＡが食品添加物として使われていました。そのため、日本がＢＨＡを使用禁止にすると、それらの国の消費者に不安と混乱を生じさせるというのでした。

厚生省はそれらのクレームをあっさり受け入れてしまい、使用禁止の措置を撤回しました。しかし、ＢＨＡに発がん性があることが分かった以上、そのまま使用を認めるというわけにもいきません。苦肉の策として、その使用をパーム原料油とパーム核原料油だけに限定し、それらから作られた油脂は、「ＢＨＡを含有するものであってはならない」という条件をつけたのです。

リップスティックにも要注意

ところが、これら２つの条件は、１９９９年４月に撤廃されてしまいました。そして、油脂やバター、魚介乾製品、魚介冷凍品などに使えるようになりました。撤廃の理由は、「人間には前胃がなく、がんを起こすかは不明」というものでした。

しかし、人間に前胃があろうとなかろうと、動物実験でがんを起こすことが確認されたのですから、そういう化学合成物質の使用を禁止することは当然だと思います。にもかかわらず、厚生省はわけの分からぬ理屈をつけて、使用を広く認めたのです。

幸いなことに、ＢＨＡはほとんど使われていません。代わりに安全性の高いビタミンＥが酸化防止剤として使われています。ただし、ときおり「酸化防止剤（ＢＨＡ）」と表示された煮干し製品を見かけますので、注意していただきたいと思います。

ＢＨＡに似た添加物にＢＨＴがあります。同じく酸化防止剤として使われ、対象食品も同じです。しかし、ＢＨＴもラットを使った実験で、肝臓にがんを発生させることが確認されています。また、0・1％をラードとともにえさに加えて、ラットに食べさせた実験では、交配して誕生した子どもに、無眼症が認められました。つまり、催奇形性の疑いもあるわけです。しかし、がんが発生しなかったという動物実験のデータもあるため、グレーの状態であり、使用禁止にはいたっていないのです。

BHTは食品にはほとんど使われていませんが、リップスティックや化粧品にはよく使われています。リップスティックの場合、唾液に溶けて体内に入っていく可能性がありま す。したがって、「BHT」と表示された製品は使わないようにしたほうがよいでしょう。

このほか、もう一つ、発がん性が疑われている添加物があります。合成甘味料のネオテームです。これは2007年に認可された新しい添加物。アスパルテームを化学変化させて作ったもので、甘味が砂糖の何と7000～1万3000倍もあります。しかし、ラットに1日に体重1kgあたり0・05g投与した実験では、腎臓の腺腫（良性の腫瘍《しゅよう》）が発生し、マウスに体重1kgあたり4g投与した実験では、肝細胞の腺腫と肺がんの発生頻度が増加しました。そのため、発がん性との関係が疑われているのです。これも摂取しないほうが無難です。

妊婦は添加物に対してとくに用心すべし

発がん性と並んで心配される毒性に、催奇形性、すなわち胎児に障害をもたらす毒性があります。第1章で取り上げた防カビ剤のTBZは、マウスを使った実験で催奇形性が確認されています。TBZは、輸入されたレモン、グレープフルーツ、オレンジの皮だけでなく、果肉からも検出されています。したがって、それらのかんきつ類を妊娠した女性が食べ続けた場合、胎児に対する影響が心配されるのです。

また、合成甘味料のアセスルファムKの場合、妊娠ラットを使った実験で、胎児に移行することが確認されています。この実験では、胎児に対する障害は確認されていないようですが、人間の場合どうなるのか、確たることは分かりません。

このほかにも、胎児に移行する添加物があるかもしれません。というのも、TBZやアセスルファムKと似たような化学合成物質は、胎児に移行すると考えられるからです。すなわち、自然界に存在しない化学合成物質で、体内で分解されず、分子量の比較的小さなものです。防カビ剤のOPPやジフェニル、合成甘味料のサッカリンNaなどはこれらの条件を満たすので、その可能性があります。

いうまでもなく胎児というのは、ひじょうにデリケートな存在です。とくに受精後、細胞が盛んに分裂している時には、周辺の影響を大きく受けると考えられます。そんな時に、毒性のある化学合成物質が作用した場合、細胞の分裂、そして手や足、頭などへの分化が障害を受けることが予想されます。したがって、できるだけ成長を妨害するような化学合成物質が胎児に達しないようにしなければなりません。その意味でも、159ページの①に該当するような添加物はできるだけ摂取しないようにしたほうがよいでしょう。

肝臓や腎臓はダメージを受けやすい

このほか、各臓器に対するダメージも心配されます。とくに肝臓に対するダメージが心配されるのです。というのも、肝臓は体内に入ってきた毒性物質を解毒する器官だからです。通常、化学合成物質は、体内に入ってきて、消化・分解されずに吸収された場合、体内を異物となってグルグルめぐり、肝臓で処理されることになります。ところが、それは肝臓にとって負担になりますし、処理できない場合は肝臓の細胞がダメージを受けることが考えられるのです。

肝臓の場合、細胞が壊れるとGPTなどの酵素が増えるため、その量を調べることで、ダメージを受けているかどうかを知ることができます。第1章で述べたようにアセスルファムKの場合、イヌを使った実験でGPTが上昇することが分かっています。したがって、肝臓にダメージを与える可能性があるのです。アセスルファムKのほかにも、似たような添加物は、肝臓にダメージを与える可能性があると考えられます。

また、腎臓に対する影響も心配されます。腎臓はひじょうに繊細な臓器で、一度組織が壊れると、元に戻ることがありません。したがって、一度腎臓機能を失った人は、一生人工透析を受け続けるか、腎臓移植をするかしないと生命を維持することができないのです。

体内に入ってきて、消化・分解されずに吸収されて、体内をグルグルめぐった化学合成物質は、やがて腎臓に達して、尿とともに排泄されます。その際に、化学合成物質が腎臓の本体といえる糸球体や尿細管などにダメージを与えることはないのか心配されるのです。

しかし、仮に添加物が肝臓や腎臓にダメージを与えたとしても、その因果関係を明らかにすることは不可能でしょう。それらの機能を低下させる要因はほかにもいろいろあるので、原因を特定することは難しいからです。したがって、私たちができることは、そうした化学合成物質をできるだけ摂取しないようにすることなのです。

免疫力を低下させる可能性もあり

もう一つ心配されるのは、「免疫」に対する影響です。つまり、免疫力を低下させたり、免疫を刺激してアレルギーを起こすことがあるのです。

免疫とは、体を守る防衛軍のようなもので、ひじょうに重要です。もし免疫がなかったら、人間は生きていくことができません。実は、目には見えませんが、空気中にはカビや細菌などの微生物が浮遊していて、我々の体のなかに侵入してこようと常に狙っているのです。それを防いでいるのが、免疫です。それでも十分に防ぎきれなくて、とくに冬場には風邪ウイルスやインフルエンザウイルスなどの侵入を受けて、それらの症状が発生するのです。

また、おそらく耳を疑いたくなると思いますが、私たちの体のなかにはカビや細菌や原虫、ウイルスなどが無数に棲みついています。それが異常に増えすぎないようにしているのも免疫です。

たとえば腸には約100種類、100兆個もの腸内細菌がいるといわれています。人間の細胞はおよそ60兆個ですから、それよりも多い数なのです。また、皮膚には表皮ぶどう球菌などの常在菌が1平方センチあたり平均100万個も棲みついています。ですから、みなさんの皮膚の表面を顕微鏡で見たら、細菌がうごめいている状態なのです。これらの常在菌が増えすぎないようにしているのも免疫です。それほど免疫とは重要なものなのです。

ところが、添加物のなかには、その大切な免疫の働きを低下させる可能性のあるものがあるのです。まずあげられるのが、第1章でも取り上げた合成甘味料のアセスルファムKです。イヌを使った実験で、リンパ球を減少させることが分かっているからです。

リンパ球は免疫の要となる白血球で、それが減少すれば確実に免疫力は低下します。ちなみに、エイズ（後天性免疫不全症候群）は、ＨＩＶ（ヒト免疫不全ウイルス）によって、リンパ球の一種のＴリンパ球が破壊され、それが減少することによって起こる病気です。

添加物と症状の因果関係は分かりづらい

もちろん、添加物によってエイズのような症状が起こるというわけではありません。が、リンパ球が減れば体の抵抗力が弱まって、風邪をひきやすくなったり、インフルエンザにかかりやすくなったり、また体内に棲みついている細菌やカビ、ウイルスなどが増殖して、日和見《ひよりみ》感染症という病気になる可能性があります。

さらに、合成甘味料のスクラロースも、免疫力を低下させる可能性があります。ラットを使った実験で、リンパ球を成長させる器官である胸腺と脾臓に対してダメージを与える結果が得られているからです。したがって、アセスルファムKやスクラロースが添加された飲料や食品を毎日食べ続けると、知らず知らずのうちに免疫力が低下するということがあり得るかもしれません。そして、風邪などの感染症にかかりやすくなることも考えられるのです。

しかし、そうなったとしても、免疫力が低下したことはなかなか分かりませんし、ましてやそれに添加物が関係していることにも気がつかないでしょう。仮に疑いを抱いて、その因果関係を調べようとしても、おそらく不可能でしょう。

免疫力が低下してしまってからでは遅いので、そういう悪い影響をおよぼす可能性のある添加物はできるだけ摂取しないようにすることが大切なのです。

アセスルファムKやスクラロースを摂取しなくても何も困ることはありません。それらの甘味は「苦甘い」という、変な甘味ですので、そんな変な味のする飲料や食品はむしろ食べないほうがよいと思います。

じんましんを起こす添加物

添加物が免疫を変に刺激して、アレルギーを起こすという心配もあります。第1章で述べたように、タール色素の赤色102号、黄色4号、黄色5号がじんましんを起こすことは、皮膚科医の間ではよく知られています。おそらく免疫がそれらを「異物」として認識し、排除しようとした結果、じんましんという症状が現れると考えられます。またそれは、一種の警告反応ともいえます。

タール色素は体にとって、何もプラスにはなりません。たんぱく質や炭水化物などと違って、栄養にはならないからです。タール色素は分子量が小さいので、腸から吸収されて体のなかをグルグルとめぐります。おそらくそれは体にとって邪魔なものでしょう。

また、遺伝子などを突然変異させる可能性がある危険なものともいえます。

そこで、体の防衛軍である免疫は、それを排除しようとしたり、「変なものが入ってきている」と警告すると考えられます。その結果、皮膚が赤くなったり、腫れたりというじんましんの症状が現れるのです。これによって、本人は変なものが体内に入ってしまったことが分かるというわけです。

じんましんを起こすことが知られている赤色102号、黄色4号、黄色5号はよく使われているので、それだけ子どもなどが摂取する機会が多く、じんましんを起こすケースも多いということだと思います。ですから、ほかのタール色素でも、摂取すれば、人によってはじんましんを起こすことが考えられます。

このほか、じんましんを起こす添加物としては、合成保存料の安息香酸Na、同じく合成保存料のパラベン（パラオキシ安息香酸類）などが知られています。タール色素と同様に「異物」となって体をめぐるため、免疫が反応すると考えられます。

今のところ、じんましんを起こす添加物として知られているのは、これくらいですが、同様に「異物」となって体にとって悪影響をおよぼすような添加物に対しては、免疫が反応して、アレルギーなどを起こすと考えられます。

調味料として使われた添加物で灼熱感や動悸が

以上は、いずれも主に159ページの①の自然界にまったく存在しない化学合成物質の害を示したものです。

では、もう一つの合成添加物、すなわち②に当たる自然界に存在する成分を真似て化学合成したものはどうでしょうか？　それらには、アジピン酸やグルコン酸、乳酸などの酸味料、L－グルタミン酸Naなどの調味料、ビタミンA、C、Eなど数多くあります。

これらはもともと食品に含まれているものが多いので、その点では毒性はそれほどなく、ある程度安心できます。しかし、そうしたものでも、一度に大量に摂取すると、悪影響をもたらすことがあります。その典型は、調味料のL－グルタミン酸Naです。

L－グルタミン酸Naは、最もよく使われている添加物の一つです。「調味料（アミノ酸）」または「調味料（アミノ酸等）」と表示されていたら、L－グルタミン酸Naが使われていると思って間違いありません。カップめん、インスタントラーメン、ポテトチップス、スナック菓子、コンビニ弁当、コンビニおにぎり、だしの素、パスタソース、スープの素などなど、あげていったらきりがないほど多くの食品に使われています。

L－グルタミン酸Naはもともとはこんぶに含まれるうま味成分で、1908年に化学者の池田菊苗博士によって発見されました。その後、化学合成されるようになり、現在はサトウキビなどを原料に発酵法によって生産されています。こんぶに含まれる成分ですから、安全性は高く、動物実験でも毒性はほとんど認められていません。しかし、純粋な化学物質でもあるため、一度に大量に摂取すると、その影響が出るのです。

実はL－グルタミン酸Naをめぐっては、過去にアメリカである事件が発生しているのです。1968年、ボストン近郊の中華料理店において、ワンタンスープを飲んでいた人たちが、顔面や首、腕にかけて灼熱感《しゃくねつかん》やしびれ感、さらに動悸やめまい、全身のだるさなどを訴えました。そこで、原因調査が行なわれて、ワンタンスープに多量に入れられていたL－グルタミン酸Naが「犯人」とされたのです。

添加物による症状は個人差が大きい

この症状は、中華料理店症候群と名づけられました。おそらくL－グルタミン酸Naが大量だったため消化管がうまく処理できず、素早く吸収されて血液中に入ってしまい、特定の細胞や神経が刺激されたためと考えられます。

こうした症状は、市販のカップめんなどを食べた時にも起こるようです。L－グルタミン酸Naが大量に使われているため、スープに溶けたそれが腸から吸収され、全身をめぐって、腕や肩、顔面などに灼熱感をもたらすと考えられます。

私はこれまで何度かカップめんを試食していますが、その際にいつも肩や腕、顔に灼熱感がありました。それはお湯やお茶を飲んだ時に体が熱くなる感じとはまったく違っていて、まさに「灼熱感」という言葉がぴったりなのです。さらに動悸を感じることもありました。また、カップスープを飲んだ時にも、同様な灼熱感がありました。これにもL－グルタミン酸Naが使われていました。

ただし、こうした添加物によって受ける影響は個人差があり、感じる人と感じない人がいるようです。そのためまったく感じない人にとっては、「いったい何を言っているんだ」ということになりますし、感じる人にとっては深刻な問題になるのです。

しかし、感じない人でも、おそらく何らかの影響を受けていることは間違いないことであって、それを認識するかしないかの違いと考えられます。

添加物を摂取した直後に胃部不快感や下腹の鈍痛も

添加物が口内や胃腸におよぼす微妙な影響も心配されます。たとえば、添加物を多く含むコンビニのおにぎりやサンドイッチなどを食べると、歯茎や舌が刺激を受けることがあります。製品によっては、舌がしびれることもあります。さらに、胃がピリピリ痛んだり、張ったような感じになったり、もたれたり、重苦しくなったり、気持ちが悪くなったりすることもあります。これらは、胃部不快感といわれています。また、下腹の鈍痛や下痢などを起こすこともあります。

厚生労働省は、現在使用が認められている食品添加物について、「安全性に問題はない」といっていますが、前述のようにそれらはすべてネズミなどを使った動物実験によって安全性が調べられたにすぎないのです。

しかし、動物実験では、私たち人間が添加物から受ける胃部不快感などの微妙な影響は分かりません。動物実験で分かるのは、がんができる、先天性障害の子どもができる、腎臓や肝臓などの臓器に障害が出る、血液に異常が現れる、体重が減るなど、かなりはっきりした症状なのです。胃部不快感や下腹の鈍痛、口内の刺激など、自分が訴えないと分からないような症状は、動物では確かめようがないのです。

また、人間が受けるそうした微妙な影響は、添加物が複数使われていた時に現れやすいと考えられます。いろいろな添加物の刺激を、胃や腸などの粘膜が受けることになるからです。

ところが、動物実験では、複数の添加物を与える実験は、まったくといっていいほど行なわれていません。1品目を与えて、その毒性を調べているだけなのです。つまり、複数の添加物の影響については分かっていないのです。

しかし、実際には一つの食品に数品目、あるいは何十品目もの添加物が使われているのです。ですから、それらの添加物の複合作用が心配されるのです。

原因不明の胃腸症で苦しむ人が増えている

最近、機能性ディスペプシア（機能性胃腸症）という原因不明の病気で苦しむ人が増えているのをご存じでしょうか？　実はそれと添加物との関係が疑われるのです。

その病気は、食事をするとすぐに満腹感が生じ、胃もたれや胃痛を感じて、食欲がなくなってしまうというものです。そのため、体重が10kgも減ってしまった人もいるといいます。検査しても異常が見つからないため、原因は分かっていませんが、胃の運動機能異常や刺激に対する胃粘膜の知覚過敏、胃酸の分泌異常などが複雑に絡んで起こるのではないかと考えられています。

この病気は、欧米では1980年代、日本では90年代に注目され始めました。国際的な診断基準があり、「つらいと感じる食後のもたれ感」「早期飽満感（すぐに満腹になる感じ）」「心窩部痛（みぞおちの痛み）」「心窩部灼熱感（みぞおちの焼ける感じ）」のうち、どれか一つが当てはまるケースがそうです。東北大学病院の調査では、日本人の場合、成人1万人のうち14％がこれらの症状を日常的に経験しているといいます。

実はこれらの症状は、添加物の多い食品を食べた時に起こる症状に、とてもよく似ているのです。添加物の多いコンビニおにぎりやサンドイッチなどを食べると、胃がピリピリと痛み、胃もたれがし、胸やけを起こすこともあります。また、胃が張るような膨満感《ぼうまんかん》に襲われますが、これは人によっては満腹感となるでしょう。

つまり、機能性ディスペプシアの症状はこれまで説明してきた胃部不快感にそっくりなのです。したがって、添加物が原因になっている可能性があるのです。そうとは知らず、多くの人が胃腸の不快な症状で苦しんでいるのかもしれません。似たような症状で悩んでいる人は、添加物なしの食品を食べてみてください。症状が改善されるかもしれません。

天然添加物にも注意すべき

添加物はほかに、植物や海藻、昆虫、細菌、鉱物などから、色素や粘性物質などの特定成分を抽出したもの、すなわち天然添加物があります。2013年1月現在で365品目の使用が認められています。

天然添加物は、自然界にあるということもあって、これまでの動物実験では全般的に合成添加物に比べて毒性が低いことが分かっています。ただし、なかには「アカネ色素」のように危険なものもあります。アカネ色素はハムやソーセージに使われていたのですが、新たな動物実験で発がん性が認められたため、2004年7月に使用が禁止されました。

したがって、天然添加物についても、十分な注意を払っていかなければならないのです。とくに以下に示す天然添加物は、安全性の点で問題がありますので、できるだけ避けるようにしてください。

・トラガントガム（増粘安定剤）……マメ科の植物であるトラガントの分泌液を乾燥させて得られた増粘多糖類。ゼリー菓子やソース、ドレッシングなどに使用。しかし、マウスに対して、1・25％および5％含むえさを96週間与えた実験では、メスで体重がやや少なく、前胃に乳頭腫、がんの発生が認められた。用量依存性がなかったことから、発がん性があるとは認められなかったが、安全とはいい難い。

・ファーセレラン（増粘安定剤）……ススカケベニ科のフルセラリアの全藻より、加熱した水、またはアルカリ性溶液で抽出した増粘多糖類。鶏卵1個あたり5㎎を投与したところ、眼や上顎《うわあご》に異常が認められた。

・カラギーナン（増粘安定剤）……ミリン科のキリンサイ属などの全藻を乾燥、粉砕《ふんさい》して得るか、またはその全藻より、加熱した水酸化カリウムで処理し、乾燥、粉砕して得られた増粘多糖類。シャブシャブのたれ、ドレッシング、スープ、デザート食品などに使われている。しかし、ラットに対して発がん性物質を投与し、さらにカラギーナンを15%含むえさを与えたところ、結腸腺腫の発生頻度が高くなることが観察された。また、発がん性物質を投与せずに、カラギーナンを含むえさだけを与えた場合、ラット1匹に結腸腺腫が見られた。

・ツヤプリシン（保存料）……ヒノキ科のひばの幹枝または根から、アルカリ性水溶液とヘキサンで抽出したもので、ヒノキチオールともいう。妊娠マウスに、オリーブ油に溶かしたヒノキチオールを体重1kgあたり0・42、0・56、0・75、1・0gそれぞれ1回経口投与した実験で、口唇裂《こうしんれつ》、口蓋裂、短尾などが見られ、催奇形性のあることが示された。

天然添加物でもアレルギー症状は出る

このほか、天然添加物のなかにはアレルギーを引き起こすものがあります。消費者庁は、

2012年5月、コチニール色素が、呼吸困難などの重い急性アレルギーを起こす可能性があるとして注意を呼びかけました。

コチニール色素は、中南米に生息するエンジムシという昆虫から抽出された赤色の色素で、カルミン酸を主成分としています。清涼飲料や菓子類、ハム、かまぼこなどに使われています。また、医薬品や化粧品（口紅やアイシャドーなど）にも使われています。

同庁によると、これまでにコチニール色素を含む化粧品の使用や食品の摂取によって、かゆみやじんましん、発疹《ほっしん》、呼吸困難などのアレルギー症状を示した例が報告されているといいます。また、赤色の色素を含む化粧品を使用してかゆみを覚えていた女性が、コチニール色素が使用された食品を食べたところ、呼吸困難をともなった重篤《じゅうとく》なアレルギー症状を示したケースもあるといいます。

これはほんの一例ですが、ほかにもじんましんなどを起こす天然添加物があるかもしれません。したがって、何かを食べてじんましんなどを起こした際には、どんな添加物が使われているのかをチェックして、その添加物を含む食品は食べないようにする必要があるでしょう。

第4章

添加物の害を防ぐために心得ておくべきこと

10大食品添加物は極力口にしない

今の時代に生きている限り、添加物をまったくとらないようにすることはまず不可能です。生協で売られている食品にも、添加物は含まれています。したがって、できるだけ危険性の高い添加物をとらないようにして、害をこうむらないように注意することが現実的な対処法です。そのためには、まず本書で取り上げた「10大食品添加物」を含んだ食品をできるだけ食べないようにしてください。

これらはほとんど物質名が表示されているものです。そして、多くは用途名も併記されています。したがって、原材料名をきちんと見れば、使われているかどうかを確認できるのです。もしこれらの添加物の名が書かれていたら、その食品は買わないようにしましょう。これを心がけるだけで、胃がんなどのがんになる確率を減らせることになると考えられます。また、胎児が先天性障害になる確率も減らすことができると思います。

さらに、第3章で取り上げた過酸化水素、ＢＨＡ、ＢＨＴなどの合成添加物にも注意してください。そのほかにも安全性の不確かな合成添加物はありますが、一つひとつあげていって、それらをとらないように注意するというのも、外食やコンビニ弁当などを食べる機会の多いビジネスマンにとってはなかなか難しい面があるでしょうから、今回はそれらについては割愛したいと思います。おそらくそれらを摂取したとしても、本書で取り上げた「10大食品添加物」、および第3章で取り上げたものを避けるようにすれば、がんやその他の病気になる確率はかなり減らせると考えられます。

添加物の多い食品はチェックする習慣を!

また、危険性の低い合成添加物、たとえばクエン酸や乳酸、リンゴ酸、L－グルタミン酸Na、ビタミンA、C、Eなどのようにもともと食品に含まれている成分を真似て化学合成したものでも、一度に大量に摂取したり、数多くのものを一度に摂取すると、中華料理店症候群に陥ったり、胃部不快感、下腹の鈍痛、歯茎や舌の刺激感などが生じることがあります。また、第3章で指摘したように、機能性ディスペプシアという原因不明の病気に陥るかもしれません。したがって、できるだけ添加物の少ない食品を選んで買うように心がけてください。

とくに添加物の多い食品としては、コンビニの弁当やおにぎり、パスタ、焼きそば、サンドイッチなどのほか、ケーキ類、菓子パンなどがあげられます。これらを買う際には原材料をよく見て、添加物のできるだけ少ない製品を買い求めることをお勧めします。

ところで、これまで添加物の害をいろいろ指摘してきましたが、そのなかでも最も怖いのは、いうまでもなく、がんです。最後にそのがんについて、少し考えてみたいと思います。

今は日本人のすべてが、がんの脅威にさらされているといっていいでしょう。3人に1人ががんで死亡しているという紛れもない事実があり、2人に1人ががんになっているといいます。私の知人でも、40代で肺がんや脳腫瘍で亡くなったり、50代で大腸がんや肝臓がん、子宮がんなどで苦しんでいる人が何人もいます。

昔に比べてがんは治る病気といわれるようになりましたが、ひとたびがんを発症すれば、さまざまな検査を受けなければならず、そして手術、抗がん剤、放射線といったつらい治療を受けなければなりません。しかも、治療を受けたからといって、必ずしも生存できるという保証はないのです。

がんは不可思議な病気

がんは実に不可思議な病気です。自分の細胞が正常に機能しなくなり、そればかりでなく、さらにほかの正常細胞までを侵食して、それらの働きを失わせてしまいます。つまり、自己の細胞が、自己の細胞を攻撃するのです。これは生命の基本原則に反するように思えてなりません。人間の体は約60兆個の細胞からなる集合体ですが、それらの細胞は自己の生命を維持するために、それぞれの役割を果たし、それぞれが自己の「生」を維持しようと互いに協力し合っています。

ところが、その細胞が異常を起こし、それだけならまだしも、ほかの正常細胞まで侵して、臓器や組織を機能不全に陥れてしまうのです。それによって細胞の集合体である「人間」という生命体が滅び、その結果、がん細胞自体も滅びてしまうのです。人間という個体が生を維持できなくなれば、がん細胞も生を維持できないからです。これはがん細胞にとっては自滅行為であり、常に生を維持しようとしている生物の基本原則に反しているのです。

まさしく正常細胞が何らかの原因によって異常を起こして狂暴化し、「狂気の細胞」になったとしかいいようがないのです。それが2人に1人の割合で起こっているというのですから、何とも不可解です。

単に腫瘍ということなら、それほど不思議ではありません。腫瘍とは、正常細胞が異常になること、つまりきちんと機能しなくなった状態のことです。これは、十分起こりうることです。細胞が分裂する時、遺伝子が正しいコピーを作ることができず、その結果、正常に機能する細胞ではなくなってしまうということは、それほど不思議なことではないからです。

遺伝子はひじょうに種類が多くて複雑ですから、コピーを作る時にミスが発生してしまうということは当然起こりうるわけです。実際にこうしたミスは珍しくないようで、細胞にはそれを修復する機能が備わっていて、常に遺伝子を正常なものにしているのです。

しかし、時々修復がうまくいかずに異常な細胞ができて、それが増えて塊になった状態が腫瘍です。ただし、その細胞が一定の範囲で留《とど》まれば、それほど正常細胞を侵食することはありません。したがって、臓器の機能も失われることはなく、個体も死にいたることはないわけです。ちなみに、イボも腫瘍の一種です。

「狂気の細胞」を生み出すものは？

ところが、多くの場合、正常さを失った細胞はどんどん増殖していって、正常細胞を侵食していき、つまり悪性化していって、臓器全体の機能を失わせてしまうくらいに増えてしまうのです。この悪性化した腫瘍が、がんです。

しかも、がん細胞は血液に乗ってほかの臓器に転移し、その臓器をも侵食して機能を失わせるのです。まさに細胞が狂ってしまったとしかいいようがありません。いったい何が細胞をこんなに狂暴化させているのでしょうか？　細胞に対して、ものすごく強い「負のベクトル」が働いているとしか考えられません。

正常細胞をがん化させるのは、プロローグでも書いたように放射線、ウイルス、化学物質であることが分かっています。それらが遺伝子を破壊したり、変形させたりして突然変異を引き起こし、その結果、細胞ががん化するのです。

そのなかでも、とくに化学物質の影響が大きいと考えられます。添加物のほかにも農薬や合成洗剤、抗菌剤、殺虫剤、トリハロメタン、ダイオキシン、揮発性有機化合物（VOC）、排ガスなどおびただしい数の化学物質が環境中に放出され、空気や水、食品とともに体内に入り込んできているのです。それらのなかには発がん性のものがたくさんあります。したがって、遺伝子に作用して突然変異を起こさせていることは十分考えられるのです。ちなみに、化学物質が体内に入り込んできて、その影響が蓄積してがんが発生するという考え方を、「がん加算説」といいます。

それらの化学物質は、分解されることなく腸や肺から吸収されて、異物となって血液中をめぐるのです。そして、細胞や遺伝子を傷つけ、また、体を維持する免疫やホルモンなどのシステムを乱していると考えられます。

その結果、がんになったり、ほかにも化学物質過敏症（シックハウス症候群）やアレルギーが発症しているのです。さらに、先天性障害や不妊なども関係していると考えられます。おそらく今、私たちの体は悲鳴をあげているのでしょう。その表れが、がんやアレルギー、化学物質過敏症なのだと思います。ですから、これらの化学物質を減らしていく必要があるのです。

また、個人としては、安全性の不確かな化学物質はできるだけ摂取しないという、「予防原則」にのっとって生活していく必要があるのです。

化学合成物質がすべての元凶!?

私はこれまで添加物のほかにも、農薬、合成洗剤、抗菌剤、殺虫剤、香料などの化学合成物質の問題点をしつこく指摘し、それらを含んだ製品を『買ってはいけない』という本で取り上げてきましたが、それは「化学合成物質がさまざまな問題の元凶」という思いがあるからです。

化学合成物質は容易に分解されないがゆえに便利であり、さまざまな使い道があるのですが、また、それがゆえに私たちの体を汚染し、環境をも汚染し続けているのです。私は住宅地と農村部の狭間のような所に住んでいますが、家の周りを散歩した際、林や里山の土手などに、ペットボトル、ポリエチレン袋、空き缶、ビニール傘、CDやDVD、プラスチック人形、さらにはテレビやラックなどが捨てられている様を見て、愕然《がくぜん》としました。自然界に放置されたそれらは分解されることなく、環境を汚し続けているのです。

合成添加物も、プラスチックとは多少ニュアンスが違いますが、基本的には同じような化学合成物質です。それゆえそれらも人体を汚染し続けているのです。

人間の体は実にうまくできていて、たんぱく質や炭水化物、脂肪、ビタミン、ミネラルなどの栄養をバランスよくとって、適度な運動をしていれば、本来故障を起こすことなく、ずっと健康に過ごすことができるはずなのです。

ところが、実際にはがんなどのさまざまな体の故障で悩んでいる人がとても多いのです。『がんの統計03』（財団法人・がん研究振興財団発行）によれば、40代、50代、60代男性の死亡原因の第1位はがんです。女性でも、30代、40代、50代、60代で同じく1位ががんなのです。

つまり、働き盛りの世代でも、がんで亡くなる人が一番多いのです。このほか、アレルギーや化学物質過敏症、不妊などで悩んでいる人もたくさんいます。

人間の体は、自然界からとれた食物に含まれる炭水化物、たんぱく質、脂肪などをうまく処理する能力を持っています。これら体の栄養になるものを消化して吸収し、エネルギーとして利用し、また、細胞の材料としているのです。消化されない食物繊維は、不要なものとしてそのまま排泄しています。

ところが、化学合成物質は必要ないにもかかわらず、そのまま腸から吸収されてしまいます。

人間の体には、自然界にない化学合成物質をうまく処理する能力が備わっていないのです。そのため、そうした化学合成物質は、「異物」となって体中をめぐることになります。それらが、体のさまざまなシステムを攪乱《かくらん》し、さらには細胞をがん化させていると考えられます。その最たるものが、「10大食品添加物」なのです。

私は「10大食品添加物」を避けてきた

人間が生きていくうえで、健康を維持していくことは最も重要なことの一つです。もし病気になって、入院するということになれば、治療費や入院費がかかりますし、仕事も休まなければならなくなります。場合によっては、会社を辞めなければならなくなるかもしれません。会社は冷たいもので、役に立たなくなった社員は容赦なく切り捨てるでしょうから。

私は26歳の時に小さな新聞社に入社し、その翌年に退社してフリーの記者となって、雑誌や新聞などに原稿を執筆するようになりました。また、本も出版することができるようになり、そんな生活を続けて30年以上が過ぎました。雑誌に原稿が載らなくなれば収入はなくなりますし、本が出版できなければ印税は入ってこなくなります。そうなれば、生活はできなくなり、住居も失いかねません。実際預金通帳の残高が2万円くらいになったこともありました。そんな「綱渡り的」人生をずいぶん長く続けているわけです。

それでもなんとか生活してこられたのは、自分が健康だったからだと思っています。58歳になるまで、入院したことは一度もありませんし、重い病気にかかったこともありません。ほとんど医者の世話になったことがないのです。もし途中で病気になって長期入院などということになっていたら、こうして執筆が続けられていたかどうかは分からないでしょう。

私がここまで入院することもなく、大病をすることもなくやってこられたのは、一つには食事に気を遣っていたからだと思っています。とりわけ添加物には気を遣い、危険性の高い添加物を含む食品は、できるだけ買わないようにしてきました。とくに「10大食品添加物」は、極力摂取しないように気をつけていました。また、第3章で取り上げた危険性のある添加物も、できるだけとらないように気をつけていました。

もちろんそれだけが、大きな病気もせずに健康に生きてこられた理由とは思いませんが、やはり体にとって「異物」となり、肝臓や腎臓などにダメージを与える可能性があり、また細胞の遺伝子を突然変異させる可能性のある添加物をできるだけとらないようにしてきたことは、体にとっての負担を少なくすることであり、決してマイナスに働くことはなかったと考えています。

みなさんにも、健康を維持しながら厳しい競争社会を生き抜いていくために、まず10大食品添加物を避けるように心がけていただきたいと思います。さらに、その他の化学合成物質にも注意して、それらによる害をできるだけこうむらないようにしていただきたいと願っております。

あとがき

今の日本は食品が過剰な状態にあります。スーパーやコンビニ、ドラッグストアなどには食品があふれかえっており、それを買わせようと毎日のようにテレビCMが流されています。そのため、どうしても食品を買いすぎて、食べすぎてしまうのです。その結果、脂肪やコレステロール、糖分、塩分などをとりすぎてしまって、肥満や高血糖、高コレステロール、高血圧などの状態になり、それが動脈硬化につながっていきます。

本来脂肪もコレステロールも、糖分も塩分もすべて必要なものです。体を維持するのに不可欠なものだからです。それがなぜか悪者扱いされています。しかし、それらが悪いのではなく、とりすぎるのが悪いのです。

そして、今の社会はとりすぎるような状況が作り出されていて、それに流されている人が多いのです。

こんな時代には、自己コントロールが必要です。簡単にいうと、食べすぎないようにすることです。

これは簡単なようで、意外に難しいのです。実は私も苦労しています。今は周りに食品があふれかえっていて、しかもそれを買わせようとする「誘惑」がたくさんあるからです。しかし、それに敢《あ》えて逆らって、食べすぎないようにして、肥満や動脈硬化を防ぎ、死亡原因第2位の心筋梗塞《しんきんこうそく》や狭心症などの心臓病、第3位の脳梗塞や脳出血などの脳血管障害にならないように努力する必要があるのです。

幸いなことにこれらの病気は原因が分かっていて、食事に注意したり、運動をしたりすることによって防ぐことが可能です。そのための本もたくさん出ています。

あとは、第1位のがんをいかに防ぐかです。これは、細胞の遺伝子を狂わせてしまう「負のベクトル」をいかに減らすかがポイントです。つまり、化学合成物質、とりわけ発がん性やその疑いのある化学合成物質をできるだけ避けるということです。

そのためには、まず「10大食品添加物」を避けることです。これによって、おそらくがんになる確率を減らすことができると考えられます。

また、アレルギーや先天性障害なども減らすことができると考えられます。本書を参考になさって、日々の生活のなかでそれを実行していただければ幸いです。

なお、本書の企画・編集にあたっては、幻冬舎・編集部の四本恭子さんにたいへんお世話になりました。この場を借りて、感謝の意を表したいと思います。

２０１３年２月

渡辺雄二

実験データ等の参考文献

「スクラロースの指定について」厚生労働省行政情報／「アセスルファムカリウムの指定について」厚生労働省行政情報／「添加物評価書ネオテーム（案）」内閣府・食品安全委員会添加物専門調査会資料／『第7版 食品添加物公定書解説書』谷村顕雄ほか監修、廣川書店刊／『食品添加物の実際知識　第3版および第4版』谷村顕雄著、東洋経済新報社刊／『既存天然添加物の安全性評価に関する調査研究―平成8年度厚生科学研究報告書―』厚生省生活衛生局食品化学課監修、日本食品添加物協会発行／『天然添加物の安全性に関する文献調査 平成3年3月』東京都生活文化局発行／『平成9年度委託調査報告書　天然添加物の安全性に関する文献調査 平成10年5月』東京都生活文化局消費者部発行／『プロジェクト研究Ⅱ 天然添加物の品質に関する研究　平成12年3月』東京都立衛生研究所発行

著者略歴

渡辺雄二《わたなべゆうじ》

一九五四年生まれ。栃木県出身。千葉大学工学部合成化学科卒業。消費生活問題紙の記者を経て、八二年からフリーの科学ジャーナリストとなる。食品、環境、医療、バイオテクノロジーなどの諸問題を提起し続け、雑誌や新聞に執筆し、現在にいたる。とりわけ、食品添加物、合成洗剤、遺伝子組み換え食品に詳しい。著書に『食べてはいけない添加物　食べてもいい添加物』『食べてはいけないお弁当　食べてもいいお弁当』（ともにだいわ文庫）、『早引き・カンタン・採点できる食品添加物毒性判定事典』（メタモル出版）、『食品添加物の危険度がわかる事典』（KKベストセラーズ）、『食べて悪い油　食べてもよい油』（静山社文庫）、ミリオンセラーとなった『買ってはいけない』（共著、金曜日）などがある。

幻冬舎新書 296

体を壊す10大食品添加物

二〇一三年三月三十日 第一刷発行
二〇一三年四月 十 日 第二刷発行

著者 渡辺雄二
発行人 見城 徹
編集人 志儀保博
発行所 株式会社 幻冬舎
〒一五一-〇〇五一 東京都渋谷区千駄ヶ谷四-九-七
電話 〇三-五四一一-六二一一（編集）
〇三-五四一一-六二二二（営業）
振替 〇〇一二〇-八-七六七六四三
ブックデザイン 鈴木成一デザイン室
印刷・製本所 中央精版印刷株式会社

Printed in Japan ISBN978-4-344-98297-0 C0295
わ-6-1
幻冬舎ホームページアドレス http://www.gentosha.co.jp/
*この本に関するご意見・ご感想をメールでお寄せいただく場合は、comment@gentosha.co.jpまで。

笠井奈津子
甘い物は脳に悪い
すぐに成果が出る食の新常識

食生活を少し変えるだけで痩せやすくなったり、疲れにくくなったり、集中力が高まる身体のメカニズムを具体的に解説。食事が仕事に与える影響の大きさを知れば、食生活は劇的に変わる！

中村仁一　久坂部羊
思い通りの死に方

現役医師2人が、誰も本当のことを言わない高齢者の生き方・老い方・逝き方を赤裸々に語り合った。医者の多くがなぜがんになるのか？　大往生は可能なのか？等々、生死の真実がわかる。

藤原るか
介護ヘルパーは見た
世にも奇妙な爆笑！老後の事例集

統計によると75歳以上の4人に1人は一人暮らしが困難となるため、親の介護は決して他人事ではない。実際に在宅の介護現場ではどんなことが起こっているのか、そのすべてがわかる一冊。

白澤卓二
寿命は30年延びる
長寿遺伝子を鍛えれば、みるみる若返るシンプル習慣術

寿命を延ばす長寿遺伝子は、すべての人間に備わっているが、機能が眠ったままの人と活発な人に分かれる。働きを活発にするスイッチは、食事、睡眠、運動。アンチエイジング実践術の決定版。

幻冬舎新書

中村仁一
大往生したけりゃ医療とかかわるな
「自然死」のすすめ

数百例の「自然死」を見届けてきた現役医師である著者の持論は、「死ぬのはがんに限る。ただし治療はせずに」。自分の死に時を自分で決めることを提案した画期的な書。

五木寛之
下山の思想

どんなに深い絶望からも、人は起ち上がらざるを得ない。だが敗戦から登頂を果たした今こそ、実り多き明日への「下山」を思い描くべきではないか。人間と国の新たな姿を示す画期的思想!!

木谷恭介
死にたい老人

老いて欲望が失せ、生きる楽しみが消えたとき、断食して自死すると決意。だが、いざ始めると、食欲や胃痛に悩まされ、終いには死への恐怖が！　死に執着した83歳小説家の、52日間の断食記録。

児玉龍彦
内部被曝の真実

「私は満身の怒りを表明します！」福島原発事故では広島原爆二十個以上の放射性物質が放出されたと指摘。国会で国の対応を厳しく批判しつつ具体的な提言をして大反響を呼んだ、正義の科学者による魂のスピーチ。